O mundo dos jornalistas

Dados Internacionais de Catalogação na Publicação (CIP)
(Câmara Brasileira do Livro, SP, Brasil)

Travancas, Isabel Siqueira
O mundo dos jornalistas / Isabel Travancas. 4. ed. revista.
São Paulo: Summus, 2011.

Bibliografia
ISBN 978-85-323-0655-5

1. Jornalismo - Brasil 2. Jornalismo como profissão
3. Jornalismo - Brasil I. Título.

10-11594   CDD-070.023

Índices para catálogo sistemático:
1. Jornalismo como profissão   070.023
2. Jornalistas: Profissão   070.023

Compre em lugar de fotocopiar.
Cada real que você dá por um livro recompensa seus autores
e os convida a produzir mais sobre o tema;
incentiva seus editores a encomendar, traduzir e publicar
outras obras sobre o assunto;
e paga aos livreiros por estocar e levar até você livros
para a sua informação e o seu entretenimento.
Cada real que você dá pela fotocópia não autorizada de um livro
financia o crime
e ajuda a matar a produção intelectual de seu país.

ISABEL TRAVANCAS

O mundo dos jornalistas

summus editorial

O MUNDO DOS JORNALISTAS
Copyright © 1993, 2011 by Isabel Travancas
Direitos desta edição reservados por Summus Editorial

Editora executiva: **Soraia Bini Cury**
Editora assistente: **Salete Del Guerra**
Assistente editorial: **Carla Lento Faria**
Capa: **Mayumi Okuyama**
Projeto gráfico: **Alberto Mateus**
Diagramação: **Crayon Editorial**
Impressão: **Sumago Gráfica Editorial**

Summus Editorial
Departamento editorial
Rua Itapicuru, 613 – 7º andar
05006-000 – São Paulo – SP
Fone: (11) 3872-3322
Fax: (11) 3872-7476
http://www.summus.com.br
e-mail: summus@summus.com.br

Atendimento ao consumidor
Summus Editorial
Fone: (11) 3865-9890

Vendas por atacado
Fone: (11) 3873-8638
Fax: (11) 3873-7085
e-mail: vendas@summus.com.br
Impresso no Brasil

"Tudo oferece sentido, senão nada tem sentido."
Claude Lévi-Strauss

"The man who writes about himself and his own time is the only man who writes about all people and about all time... And so, let others cultivate what they call literature: journalism for me!"
Bernard Shaw

SUMÁRIO

PREFÁCIO À QUARTA EDIÇÃO – ALBERTO DINES 9
APRESENTAÇÃO À QUARTA EDIÇÃO 11
INTRODUÇÃO 15

1 • OS HABITANTES DAS REDAÇÕES 18
O jornal como empresa 20
A redação 23
A chegada 31
O jornalista 35
A notícia 37
O tempo 40

2 • A ROTINA DO REPÓRTER 42
Um dia no jornal 51
A notícia na TV 59
Cobertura de rádio 67

3 • OS ETERNOS JORNALISTAS 74
Sérgio Augusto 77
Janio de Freitas 83
Zuenir Ventura 88
Luís Paulo Horta 93
Newton Carlos 99
Cícero Sandroni 103
Moacyr Werneck de Castro 107
Os veteranos 110

4 • OS JOVENS JORNALISTAS 112
Profissão: jornalista 116
A família 128
Ética profissional 131
O poder 136
Duas gerações 140

5 • A CONSTRUÇÃO DA IDENTIDADE DO JORNALISTA 142

BIBLIOGRAFIA 159

PREFÁCIO À QUARTA EDIÇÃO

MUDAM AS FERRAMENTAS, O OFÍCIO É O MESMO. Da pena ao computador, da enorme Speed-Graphic à minúscula câmera digital, do telegrama ao telex e deste ao *twitter*, dos incunábulos ao *Google*, da imprensa como patrimônio público ao jornalismo de resultados, a profissão é essencialmente a mesma. Mesmo que formalmente extinta, em 2009, por um voto leviano no Supremo Tribunal Federal.

Chamados no senado romano de *diurnalii*, quando a censura clerical foi derrubada e os primeiros periódicos começaram a circular na colônia portuguesa de além-mar os buscadores de fatos e farejadores de mudanças foram denominados *redactores das folhas públicas*. Poucas décadas depois, quando a jornada de trabalho tornou-se diária, passaram a ser conhecidos pelos franceses como *journalistes*, e sua profissão, como *journalisme*.

O mundo dos jornalistas, de Isabel Travancas, oferece um olhar sobre um recanto muito especial da sociedade moderna, onde a realidade transforma-se em notícia e o relato do acontecido em nova realidade. Visão simultaneamente panorâmica e circunstanciada leva o leitor aos bastidores do grande espetáculo no qual ele é, sem o saber, ator, espectador e, às vezes, crítico.

Jornalismo antropológico ou antropologia do jornalismo – as etiquetas hoje são mera formalidade –, o que importa são os resultados desta pesquisa, realizada com habilidade, simplicidade e grande sensibilidade, sobre o controvertido universo mediático que tantas polêmicas e embates vem provocando.

Uma reedição com sabor de primícias, um observatório que vale a pena compartilhar.

Alberto Dines
São Paulo, outubro de 2010.

APRESENTAÇÃO À QUARTA EDIÇÃO

HÁ MAIS DE QUINZE ANOS eu lançava a primeira edição deste meu primeiro livro. Estávamos em 1993. Muita coisa mudou de lá para cá. Mudou a imprensa, mudaram os jornalistas e eu também, que me tornei professora da Escola de Comunicação da Universidade Federal do Rio de Janeiro (UFRJ). Fico feliz que a Summus tenha decidido reeditar esta minha primeira pesquisa antropológica, revista, com nova capa e prefácio de Alberto Dines.

Ao longo desses anos todos, tive muito contato com estudantes, jornalistas e professores por causa do livro. Ele ganhou vida própria e tem me proporcionado importantes encontros e discussões. E, embora eu olhe para ele já tão longe de mim, não o renego. Acredito que seu conteúdo ainda faz sentido para muitos estudantes que querem saber como funciona um jornal e também a cabeça de um jornalista.

Ainda que este seja um trabalho restrito aos profissionais brasileiros, mais particularmente a jornalistas da imprensa carioca e a alguns paulistas também, ao participar de congressos no Brasil e no exterior, discutindo este tema, percebi que para vários jornalistas franceses, portugueses, argentinos ou norte-americanos, muito do que constatei em minha pesquisa também faz sentido. Não pretendo de forma alguma generalizar minhas conclusões para todo o planeta. Como antropóloga, conheço e valorizo as diferenças culturais entre grupos, nações, etnias, gerações e classes sociais. Entretanto, não posso deixar de apontar o quanto isso me surpreendeu. De alguma forma, retomo aqui a perspectiva de Gilberto Velho, orientador da dissertação que deu origem a este livro, quando ele afirma que a unidade que se estabelece entre indivíduos se constrói graças a experiências e vivências idênticas. Um jornalista inglês chegou a comentar que parecia que eu tinha conversado com profissionais do *Times*, fato que, infelizmente, nunca ocorreu.

Pierre Bourdieu (1997) afirma de modo bastante crítico que "os jornalistas têm óculos especiais com os quais veem o mundo". Não estou segura de que tenham óculos, mas com certeza sua visão de mundo e sua compreensão da sociedade em que se inserem estão diretamente ligadas à sua vivência profissional. É esse *ser jornalista* não como essência, mas como forma de estar no mundo, que os define e distingue. Em Paris, Buenos Aires, Londres ou Rio de Janeiro.

Para esta edição, procurei atualizar o mais que pude o primeiro capítulo com dados e informações mais atuais a respeito dos jornalistas, da redação e das rotinas do século XXI, já com a presença inexorável dos computadores e da Internet em nossa vida. Retirei desse capítulo as "Notas sobre a história da imprensa", porque penso que perderam um pouco a razão de ser.

No segundo capítulo, incluí notas de atualização da vida profissional dos sete entrevistados. Os outros três capítulos permanecem idênticos aos da primeira edição, e tratam-se, portanto, de uma pesquisa etnográfica realizada com jornalistas no início da década de 1990. Ou seja, suas funções, cargos e vidas também mudaram. Muitos já não estão mais em redação ou no veículo em que estavam quando me concederam as entrevistas, e certamente podem ter revisto seus pontos de vista e não pensar mais como antes, afinal a vida é movimento. No entanto, acho que este trabalho também pode ser lido como uma espécie de fotografia de um grupo profissional particular em um momento específico do século XX. E como tal, e pela riqueza dos personagens investigados, ainda pode proporcionar uma reflexão interessante sobre o jornalismo.

Gostaria de agradecer aos que colaboraram com esta nova edição, lendo, dando sugestões, fazendo críticas, sempre procurando tornar o livro melhor. A eles – Marcos Pedrosa, Miguel Conde, Maria Cecília Brandi, Manya Millen, Maria Ester Rabello –, muito obrigada.

E se, como afirmo ao final, este trabalho foi para mim uma espécie de *rito de passagem*, quando deixei de ser jornalista e me tornei antropóloga, reitero aqui minha paixão pelo jornalismo como objeto de estudo e tema acadêmico.

INTRODUÇÃO

MEU OBJETIVO AO REALIZAR ESTA PESQUISA foi tentar pensar em como se constitui a identidade do jornalista e em que ela está ancorada. Para isso, selecionei cerca de cinquenta pessoas, com as quais conversei, realizei entrevistas e muitas das quais acompanhei em suas jornadas de trabalho e festas. Trabalhei basicamente com profissionais residentes no Rio de Janeiro e com aqueles empregados em diferentes tipos de veículo de comunicação, para com isso obter uma amostra mais representativa da categoria estudada. Ao longo do trabalho, apresento as distinções que percebi entre os entrevistados. Destaco o fato de ser eu também uma jornalista, porque considero que esse dado pode contribuir para a análise desse segmento profissional.

Sem dúvida, há muitas diferenças entre o grupo, mas acredito que elas não sejam definidoras de posturas ou modos de vida marcadamente distintos. Ao longo da investigação, dividi meu grupo de informantes em duas gerações, porque creio que existem diferenças importantes entre os jovens profissionais ainda com poucos anos de experiência e aqueles que já são jornalistas há mais de trinta anos e continuam exercendo seu ofício até hoje. Algumas mudanças de veículos e de função ocorreram desde a época das entrevistas, o que, porém, não altera o conteúdo dos depoimentos.

Ficou claro também o quanto a profissão é um elemento importante na vida deles, definindo suas trajetórias e delineando uma *identidade* particular para esses indivíduos. A meu ver, os jornalistas estabelecem uma relação bastante específica com sua ocupação, o que não ocorre com outros profissionais. Talvez um pouco como os médicos, como vários deles ressaltaram, o jornalismo como profissão exige de seus "eleitos" uma adesão (*commitment*) – termo utilizado pelo sociólogo norte-americano Howard Becker – de tal ordem que impede muitas vezes que outras atividades ou setores da vida tenham maiores dimensões. Para muitos, esse laço de envolvimento com a profissão será definido como uma paixão pelo trabalho e será condição *sine qua non* para sua efetiva realização. Em outras palavras, fica difícil perceber-se como jornalista sem o estabelecimento desse vínculo.

Neste trabalho, discuto em que medida essa relação com a profissão é fundamental para o grupo, de que forma ela se dá e como esses indivíduos se veem na sociedade. Durante toda a pesquisa, lidei com pessoas que fazem parte do universo de camadas médias urbanas e, como tal, apresentam muitas semelhanças. Também abordo nestas páginas a imagem que a sociedade tem do jornalista, que oscila entre o herói e o bandido. Ou ele é visto como alguém com prestígio e poder, ou é tido como um marginal ou mesmo um elemento perigoso. Essa dicotomia presente nos depoimentos será um importante dado de análise.

No primeiro capítulo, apresento o profissional jornalista e seu local de trabalho: a empresa jornalística. Caracterizo a instituição, localizo-a dentro do espaço urbano e explico seu funcionamento, até entrar na redação propriamente dita. Subordinada a regras próprias, a redação é a área de atuação do jornalista. Seus funcionários estão divididos hierarquicamente, cada qual com uma função preestabelecida. Utilizando a ideia de separação entre *casa* e *rua*, faço uma descrição sucinta do dia a dia de um repórter de jornal. Escolhi a função de repórter por considerá-la paradigmática da carreira jornalística.

Depois, discuto a categoria jornalista em si: como alguém se

O mundo dos jornalistas

torna jornalista, quantos atuam hoje no Rio e quais suas particularidades. Uma delas é ser um produtor de notícias, um "farejador". Continuo na trilha do jornalista, tentando me aproximar mais dele, tratando das diferenças da matéria-prima desse profissional – a notícia. Ela vai abarcar distinções, mas todas, de alguma forma, estarão atreladas à noção de tempo. E sem dúvida, o tempo é uma categoria não só presente, mas fundamental nessa ocupação. Ele será a mola propulsora do trabalho e também determinará uma relação particular, na medida em que os jornalistas não são donos de seu próprio tempo.

A vida diária do repórter é o tema do segundo capítulo. Em "A rotina do repórter", me aproximo mais do jornalista e, entre outros recursos, acompanho alguns repórteres, descrevendo seu dia a dia. Com isso pretendo apreender o funcionamento da vida desse grupo, perceber suas rotinas e as semelhanças na vida de cada um. Lidarei sempre com vários planos diferentes, como o depoimento dos entrevistados, minha observação direta e a bibliografia. O capítulo 2 consiste na etnografia propriamente dita. E, ao acompanhar um repórter de TV, um de jornal e um de rádio, estabeleço as diferenças existentes entre os meios e o estilo de vida decorrente dessa opção profissional.

No terceiro capítulo, "Os eternos jornalistas", dedico-me ao grupo de jornalistas mais velhos do segmento estudado. São profissionais com mais de vinte anos de carreira, que em seus depoimentos contam um pouco de sua história de vida, do porquê da escolha dessa profissão e suas consequências. São jornalistas bem-sucedidos, que falam sobre a importância dessa ocupação em suas vidas, hoje inseparáveis dessa atividade. Atividade que gerou um *estilo de vida* e uma *visão de mundo* muito próprios, conceitos estudados pelo antropólogo Gilberto Velho.

Depois de analisar jornalistas mais experientes, passo a estudar os que ainda têm pouca vivência na profissão. Eles, "Os jovens jornalistas", são o tema do quarto capítulo, no qual faço não só uma análise de seus depoimentos como tento relacioná-los com os dos veteranos na profissão. Esses dois grupos apresentam distinções causadas principalmente pelos diferentes momentos em que se encontram em suas trajetórias de vida, e não diferenças intrínsecas às faixas etárias. Os dois grupos dão enorme ênfase à carreira, destacam a dimensão que ela ocupa em suas vidas e são categóricos ao afirmar que sua identidade social se define pelo *ser jornalista*. Fica claro que esse papel – o de jornalista – ocupa um lugar privilegiado em suas vidas.

No último capítulo, organizo de maneira mais sistemática os dados que obtive ao longo da pesquisa e vinculo-os às disciplinas teóricas das ciências sociais, em especial à antropologia, na sociedade moderna, e ao conceito de individualismo. Apresento uma discussão entre o público e o privado, e utilizo a figura do homem público que, em certa medida, é retomada pelo jornalista. A partir desses elementos, construo a *identidade social do jornalista*, profissional da sociedade moderna muitas vezes ambíguo.

Ao longo da pesquisa, o conceito de "mundo" é usado no sentido sociológico de Howard Becker, ou seja, aquele que constitui uma rede de relações e define a organização social dos jornalistas.

Com este trabalho pretendo lançar uma luz sobre a discussão de carreira e identidade em uma perspectiva antropológica das sociedades urbanas modernas, e, ao me deter mais profundamente na categoria *jornalista*, acredito que a investigação possa contribuir para o estudo de outras carreiras que certamente terão pontos comuns com a profissão aqui estudada.

1
OS HABITANTES DAS REDAÇÕES

Sempre que alguém pensava em jornalista, logo vinha a ideia de um jovem correndo atrás da notícia que anseia se tornar um furo de reportagem. Hoje, ser jornalista significa trabalhar em jornal, rádio, televisão, revistas, sites e assessorias de imprensa. Ainda que haja muitas outras imagens do jornalista para a sociedade neste começo de século XXI, o tempo e a notícia continuam sendo elementos essenciais desse ofício moderno que atrai tanta gente no mundo e no Brasil.

Isabel Travancas

O jornal como empresa

UM GRANDE JORNAL QUE PRODUZ MILHARES de exemplares é uma grande empresa, com estrutura organizacional bem planejada e administrada, e com muitos funcionários em diferentes áreas de atuação, além da redação propriamente dita. Neste trabalho, tratarei de modo genérico de uma empresa jornalística que produza um jornal diário.

O espaço em que o jornal se situa no bairro é muito mais amplo do que o ocupado por seu prédio. Ao redor do edifício, em geral grande mas não necessariamente de vários andares, há muitas pessoas ligadas à empresa, carros da redação, *office boys* que transitam e alguns bares ou botequins sempre movimentados. O jornal ocupa lugar de destaque na região, localizando-se na maioria das vezes no centro da cidade. Em alguns casos, uma rua não é logo identificada por seu nome, mas sim pelo do jornal nela situado. Os moradores e frequentadores da região já o conhecem bem. A escolha do centro da cidade faz sentido primeiro no que se refere à situação legal e burocrática, porque empresa de grande porte não pode funcionar em bairros estritamente residenciais, sobretudo empresas jornalísticas, que muito se assemelham a uma usina em constante produção e movimento. Em segundo lugar, para a cobertura dos fatos, a localização central facilita o deslocamento dos repórteres e a chegada ao local do evento em poucos minutos.

Na época da realização desta pesquisa, e ainda hoje, os jornais continuam sendo áreas de segurança máxima: não se pode entrar em qualquer departamento da empresa sem o crachá de visitante e um contato anteriormente feito com o funcionário pelo qual será recebido. Os diversos departamentos do jornal es-

O mundo dos jornalistas

tão agrupados de acordo com o trabalho que realizam em conjunto. A direção da empresa, com diretoria e assessores, está instalada em um andar; em outro, toda a área financeira – que inclui faturamento e cobrança, tesouraria, gerência de *marketing*, comercial, promoções e, eventualmente, um centro de processamento de dados. No andar da redação, que ocupa a maior parte do espaço, encontram-se também o departamento de fotografia, as salas de telex[1], e, caso o jornal tenha uma agência de notícias própria, ela também estará nesse pavimento, com o departamento de arte, área de cópias e fotocópias.

Outro andar é totalmente dedicado à parte industrial[2] do jornal, com as divisões de processamento da notícia, como composição, montagem, fotolito, tráfego de anúncios e classificados, assim como as máquinas impressoras – as rotativas –, que imprimem e dobram os jornais, e a área de distribuição, que leva os jornais até os caminhões que farão a entrega. Essa parte industrial inclui, portanto, produção, circulação e publicidade.

Outro pavimento concentrará áreas diversificadas e essenciais para o funcionamento do jornal. São as divisões de recursos humanos, serviços social e médico, transporte, segurança, pesquisa, arquivo de texto e fotográfico, restaurante, central de rádio, além, naturalmente, do pavimento térreo, que abriga a central telefônica e os serviços de portaria e recepção.

Cerca três de mil funcionários trabalham em um jornal de grande porte, que dispõe de cerca de quinhentos jornalistas na redação.[3] O jornal de maior vendagem no Rio de Janeiro é

---

1 Atualmente não há mais sala de telex nos jornais.
2 Atualmente, alguns grandes jornais têm um parque gráfico separado e chegam a enviar por satélite seus conteúdos para impressão.
3 O número de jornalistas diminuiu bastante nestas duas décadas, não havendo mais redação com um contingente tão alto de profissionais.

O *Globo*, que, segundo o IVC (Instituto Verificador de Circulação), vende aos domingos cerca de 460 mil exemplares.[4] Cito especialmente o domingo, por ser o dia de maior circulação dos jornais. Para se ter uma ideia, o mesmo jornal vende em torno de 250 mil exemplares às quartas-feiras.

O jornal estrutura-se basicamente sobre um tripé: redação, circulação e publicidade. Todas as partes são importantes, complementares e subordinadas umas às outras. Isoladas, elas não funcionam e perdem a razão de ser.

Para se ter uma noção do alcance de um jornal, pode-se multiplicar o número de exemplares vendidos por quatro, ou seja, em um domingo, por exemplo, O *Globo* atingiria mais de dois milhões de pessoas no Grande Rio. Trata-se de uma dimensão até certo ponto mensurável quantitativamente. Entretanto, há outros níveis de influência também importantes que atingem outras esferas não tão quantificáveis, como a do editorial contra alguma medida do governo, a investigação de um escândalo ou o sucesso de um espetáculo devido à crítica elogiosa de um jornalista. Por isso, é comum referir-se à imprensa como o Quarto Poder. Essa imagem também parece estar presente na consciência da população.

O funcionamento de um grande jornal implica ainda sucursais nas maiores cidades do país (cerca de dez no Brasil) e correspondentes nos principais países, como Estados Unidos, Inglaterra, França, Argentina, Alemanha, às vezes com mais de um correspondente em cada um.

Se o jornal trabalha 24 horas por dia, entretanto, isso não quer dizer que todos os funcionários trabalhem nesse esquema. O setor administrativo funciona no horário comercial, das 9 às

---

4 Segundo dados do IVC, em 2010, o jornal O *Globo* vendia nos dias de semana em torno de 250 mil exemplares e aos domingos cerca de 330 mil.

19 horas, enquanto a redação funciona o dia inteiro, em sistema de turnos, geralmente de seis horas. O mesmo acontece com a área industrial, que trabalha no horário noturno.

Na época da pesquisa que originou este livro, a matéria jornalística, uma vez escrita, era revisada pelo revisor e lida e aprovada pelo editor. Hoje, os revisores são figuras raras nas redações. Depois de editado, o texto ia para a composição, toda computadorizada. O texto composto era então montado em um espelho (produzido manualmente), do qual se fazia uma fotografia da página; do fotolito assim obtido se produzia a chapa matriz para a impressão na rotativa. Em um jornal moderno e informatizado, não se passam mais que alguns minutos entre o instante em que a notícia é liberada para a composição até sua impressão final. A impressão é feita em rotativa apta a rodar 24 horas seguidas, com capacidade máxima para 75 mil jornais por hora, dispondo em média de três dobradeiras que preparam mil jornais por minuto. Em seguida, começa a distribuição, primeiro para os aeroportos – de onde os jornais saem para os pontos mais distantes do país.

Segundo meus entrevistados, o profissional que trabalha na imprensa escrita é considerado um modelo, *o paradigma do jornalista*. Por isso, ainda que esta pesquisa englobe profissionais de diferentes órgãos (TV e rádio), vou me deter mais nos que trabalham em jornal.

A redação

PARA O JORNALISTA, a redação é o centro vivo do jornal, ou melhor, seu coração que bate e pulsa. É uma comparação pertinente na medida em que é o espaço que funciona 24 horas por dia e no qual se encontra a razão de ser do jornal: a produção da informação. Pois se a notícia se encontra na rua, sua elaboração se faz na redação.

Uma redação se resume em uma enorme sala bastante iluminada artificialmente e repleta de mesas, cadeiras, muitos terminais de computador e vários telefones. Uma sala fechada, com películas solares nos vidros ou persianas que não permitam a entrada de luz, fazendo com que os que nela trabalham percam a noção de tempo, a não ser pelo relógio da parede e pelo próprio ritmo do trabalho, também configura a redação. O ar-condicionado fica ligado a uma temperatura bem baixa por causa dos terminais de computador, e os ruídos são intensos e incessantes. Hoje em dia, tais ruídos não provêm mais do som das máquinas de escrever, mas das conversas em voz alta, da campainha dos telefones e do entra e sai de gente.

Não há só jornalistas trabalhando diariamente na redação. Em cada editoria também circula um contingente de secretárias e contínuos, além de um ou dois técnicos de informática permanentes, para eventuais orientações ou para solucionar possíveis defeitos nos terminais. Para muitos jornalistas, principalmente aqueles com mais de 40 anos, que trabalharam com as antigas máquinas de escrever manuais, a presença dos computadores significou uma mudança drástica. Alguns afirmam que os jornais "mudaram de cara" e as redações perderam muitas de suas principais características, como o barulho do teclado das máquinas de escrever e os papéis por todos os lados. Velhos repórteres conseguem encarar naturalmente a novidade dos computadores e trabalhar com eles sem tanta dificuldade. Se a inovação técnica trouxe grandes vantagens para o jornal e para o profissional, é a geração que entrou nas redações já informatizadas quem melhor lida com os equipamentos, explorando bem suas vantagens, como ganho de tempo e rapidez de acesso às informações arquivadas.

Os jornalistas estão divididos em várias categorias:

- *Repórteres* são os profissionais que vão para a rua apurar as informações e, de volta à redação, redigem a matéria.
- *Redatores*[5] são os responsáveis pelo texto final do repórter, assim como pelo título e legenda da foto.
- *Fotógrafo* é reconhecido como jornalista pela categoria e recebe a denominação "repórter fotográfico". É com ele que o repórter vai para a rua no carro do jornal.
- *Diagramador* é o encarregado de planejar visualmente a página do jornal sob a orientação do editor.
- *Subeditor* é o assistente do editor, que trabalha com o redator e o diagramador na montagem da página.
- *Editor* é o chefe da editoria, responsável pelas matérias publicadas e pelo espaço a elas destinado. É quem dá o aval para os textos e para os títulos também.
- *Chefe de reportagem* é quem escolhe, em algumas editorias – como a Geral e de Economia, e muitas vezes a de Cultura –, o repórter mais apropriado para fazer determinada matéria de rua, bem como quem deve acompanhar pelo rádio ou telefone o seu desenrolar. E, se for o caso, manda o repórter já na rua fazer outra reportagem.

---

5 Os redatores são raros hoje e existem apenas nas editorias da cabeça do jornal. Os próprios repórteres algumas vezes fazem os títulos e as legendas. Os suplementos, por exemplo, não têm redatores. Os editores podem desempenhar esse papel, embora se espere que não seja necessário. Da mesma forma, o revisor só existe para a primeira página e as de opinião, para evitar que passe algum erro ali.

- *Pauteiro*[6] é o jornalista que chega mais cedo ao jornal, em geral de madrugada, lê todos os jornais do dia e produz a pauta, que é o "programa" do dia do jornal, com as matérias possíveis, os eventos mais marcantes, assim como sugestões.
- *Radioescuta* é um setor ligado à redação, mas que funciona em uma sala separada, 24 horas por dia. Os profissionais dessa área acompanham pelo rádio e pela televisão o que acontece na cidade.
- *Editor-chefe ou diretor de redação*[7] é o encarregado de toda a redação do jornal. Ele está em contato com todos os editores, discutindo matérias e decidindo a forma final do jornal.
- *Editorialista* é o jornalista destacado para escrever diariamente o editorial, que reflete a opinião do jornal sobre questões consideradas relevantes para o órgão.

Essa é a espinha dorsal de uma redação, porém, ela não se restringe aos profissionais citados. Há muitas esferas de ação e, mesmo entre os repórteres, existe uma hierarquia, com níveis 1 e 2, cada um com subníveis desde *a* até *e*. Na base dessa escala, como repórter 1a estaria o de geral ou jornal de bairro e o encarregado da escuta. O repórter 1a tem acesso ao rádio da polícia e está sempre em contato com a Polícia Civil, Polícia Rodoviária, hospitais, Corpo de Bombeiros, enfim, atento aos pontos nevrálgicos da cidade – um trabalho que exige concentração e discernimento, além de atenção constante e permanente. Sua função é fornecer ininterruptamente à chefia de reportagem informações sobre o que se passa na cidade.

---

6 A função continua existindo, principalmente para as grandes editorias, como Cidade, por exemplo. É o jornalista que fica durante o dia ou à noite recebendo informações e selecionando o que pode ou não entrar na pauta do jornal.

7 Em algumas empresas jornalísticas, abaixo do editor-chefe estão três editores executivos que supervisionam os trabalhos dos editores e comandam as reuniões de pauta. Um deles é o responsável ainda por desenhar a primeira página.

O mundo dos jornalistas

E se a redação se apresenta hierarquizada, com posições de alto destaque e outras de menor prestígio, esse mapa das posições reflete-se, como num espelho, no jornal do dia seguinte. O jornal mostra quem ficou com as melhores tarefas, e os jornalistas rapidamente aprendem a ler e comparar esses mapas.

A redação de um jornal diário da grande imprensa geralmente divide-se em editorias. São seis ou sete, tendo por tema e objeto de trabalho os seguintes assuntos, segundo sua denominação: Esportes, Cultura, Internacional, Economia, Política, Geral ou Cidade, Ciência e/ou Saúde, além dos Cadernos Especiais, que muitas vezes se acoplam a alguma editoria, como os de Televisão, Turismo ou suplementos de Domingo ou de Literatura. Cada editoria conta com um editor, um subeditor, em certos casos um chefe de reportagem, um corpo de repórteres, uma secretária para tratar de questões burocráticas como a liberação do caixa necessário para uma saída, refeições ou viagens, controle do automóvel e do motorista e escala do dia. Além disso, um contínuo cuida de todo o material de trabalho, como laudas e canetas, do transporte de fotografias e contatos, atende os telefonemas e anota recados. Não há mesas ou terminais fixos, a não ser os das chefias, sendo por isso grande a corrida aos terminais nos horários de pique, pois nem sempre eles estão disponíveis para todos.

Além das editorias, há no centro da redação, próximo à editoria de Geral ou Cidade, uma pequena central onde fica o chefe de reportagem, contínuos e secretárias que cuidam de toda a comunicação externa, distribuindo-a para as editorias indicadas. É importante destacar que é enorme o volume de correspondência que chega diariamente ao jornal.

Ainda na redação está o "aquário". Trata-se de uma sala de vidro onde fica o alto escalão da redação, constituído pelo chefe de redação, pelo editor chefe, pelo superintendente de redação, pelo secretário de redação e pelas secretárias. É um lugar de destaque na sala, de onde os chefes podem acompanhar o trabalho da redação. Embora situados dentro da redação, esses profissionais ficam, ao mesmo tempo, isolados do barulho e com sua intimidade preservada. Os repórteres normalmente comentam que os "figurões do aquário" só saem de lá para tomar cafezinho. Quando precisam falar com alguém, chamam-no até sua sala.

Outro lugar de destaque, mas por outras razões, é a salinha do bebedouro e do cafezinho. Ela está sempre cheia, movimentada, é ali que repórteres das várias editorias se encontram e conversam sobre o trabalho do dia. É um ponto de encontro intensamente frequentado, demonstrando o alto consumo de café nas redações, o que também se pode dizer do cigarro. A fumaça e o cheiro de cigarro[8] são outra marca do jornalista e das redações. Não é à toa que um repórter comentava comigo: "Sou jornalista, embora não goste de café, não fume nem beba".

O departamento de arte ocupa uma sala na redação. Nele são produzidos os desenhos, as vinhetas, os infográficos e as ilustrações do jornal e do site.[9] Ao lado desse departamento fica a sala de telex[10], onde vários aparelhos recebem e enviam constantemente informações. Além deles, existem os teletipos[11], equipamentos que apenas recebem notícias, não podendo transmiti-las. As informações chegam geralmente em inglês ou espanhol.

---

8 Hoje o cigarro está proibido nas redações e os fumantes, na maioria dos jornais, precisam sair do prédio para fumar nas calçadas.
9 A maior parte dos grandes jornais possui um site na Internet.
10 Hoje não existem mais telex nas redações; os jornalistas consultam os sites das agências de notícias diretamente de seus terminais.
11 O teletipo era um aparelho eletromecânico utilizado nas redes telegráficas para transmitir e receber mensagens impressas.

O mundo dos jornalistas

Como já mencionei, o setor de radioescuta fica, em muitos casos, separado da redação, embora no mesmo andar e bem próximo dela. Nele há rádios, televisão e dois ou mais profissionais encarregados de acompanhar ininterruptamente o que acontece na cidade.

A área de fotografia é um departamento à parte, também fisicamente muito próximo da redação. Nessa sala há aparelhos de radiofoto e telefoto[12], que recebem material das agências internacionais de notícias *Associated Press*, *France Presse* e *Reuters*, através de sinais de satélite e telefone. A fotografia funciona como uma editoria. Tem um laboratório técnico com revelação[13] e todo equipamento necessário, um "miniaquário", ocupado por um editor de fotografia, um subeditor, uma secretária e um contínuo. Em alguns jornais, os fotógrafos estão divididos por editoria. Em outros, trabalham em todas as seções e se deslocam de acordo com o horário de chegada. Muitas vezes pode acontecer de tanto o editor como o próprio repórter solicitar determinado fotógrafo, mas trata-se de um fato esporádico, não é a regra.

A redação conta ainda com os digitadores e o pessoal de apoio para a manutenção dos computadores, que ficam reunidos em uma sala próxima ao departamento de arte.

Quando um repórter é contratado para trabalhar no jornal, mesmo que em esquema de *free-lancer*, ele deve fornecer seu endereço e telefone[14] para a secretária da editoria onde trabalhará. Caso tenha outro emprego, também lhe é solicitado o número

---

12 Radiofoto: forma abreviada de radiofotografia – fotografia transmitida mediante ondas de rádio por um aparelho que lê imagens por linhas de pontos claros e escuros. Telefoto: sistema de transmissão e recepção de fotografias a distância, mediante cabo ou ondas eletromagnéticas
13 Hoje, com as câmeras digitais, não há mais necessidade de revelação de fotos.
14 Aqui, trata-se apenas de telefone fixo. É importante lembrar que nos anos 1990 o celular ainda não estava disseminado na sociedade brasileira.

do telefone de lá. Além disso, informalmente, em geral nos fins de semana ou nos plantões, é comum o chefe pedir que o repórter informe onde estará e como poderá ser localizado rapidamente. Em situações de emergência, esse laço com o trabalho se acentua. Na época em que os sequestros se intensificaram, os repórteres da editoria Geral tinham de informar onde poderiam ser encontrados e em que telefones. Um repórter comentou que mais de uma vez já telefonaram para sua casa para saber onde estava um colega. Ele brinca: "Pior é quando estamos em greve. Todo mundo fica com medo do carro do jornal aparecer na sua casa para te apanhar". O que já ocorreu, enfatiza. Isso demonstra que o ponto de partida para a entrada na profissão é a entrega do seu tempo. É estar ligado à redação o tempo todo. Há uma cobrança implícita, se não explícita, de que ser jornalista significa ser jornalista 24 horas por dia e não só quando se está no jornal ou fazendo matéria na rua.

Nesse sentido, não só o tempo (como veremos adiante) será importante para essa categoria, mas também a noção de espaço, que vai fazer com que o jornalista viva em *três mundos*: o da casa, o da rua e o da redação ou do trabalho, que seria uma mistura dos dois. Assim, esses mundos terão pesos e dimensões diferentes ao longo da vida dessas pessoas. E, se os jornalistas não são os "donos" de seu tempo, também não o são de seu espaço, embora com menor intensidade neste caso. São comuns os chamados de urgência em casa, e muitas vezes a produção de matérias prossegue em domicílio, para o desalento e irritação dos familiares.

Os espaços na sociedade brasileira podem ser percebidos como esferas de significação social. A casa, a rua, por exemplo, contêm visões de mundo particulares. Muitas vezes os espaços são domínios por meio dos quais a própria sociedade ganha vida. Casa e rua se contrapõem, mas por outro lado são complementares, como ocorre com o trabalho do jornalista, que não se limita apenas à rua, mas invade o espaço doméstico.

Ao citar a redação ou o jornal como um domínio da casa ou familiar, não pretendo determinar que todo jornalista tenha uma relação familiar com o trabalho ou com seu patrão, mas mostrar que há casos de intimidade nesse sentido, e a relação que então se estabelece com o espaço é bastante peculiar. Não resta dúvida de que cada sociedade ou grupo convenciona ou inventa o espaço com base em sua própria ótica. Embora para um estranho ao meio uma redação de jornal possa parecer um ambiente descontraído (dependendo do horário), com muita conversa e gente sentada nas mesas em atividade tumultuada, na verdade é um espaço com divisões hierárquicas e regras fixas.

E ainda que a redação pareça um local de anonimato, tal impressão não corresponde à realidade. Muita coisa pode acontecer nesse espaço, e, embora nem sempre todos se deem conta do que se passa, é raro um visitante ou foca chegar sem ser percebido ou não ser alvo de comentários, assim como as repreensões e os elogios do chefe contam com a participação dos colegas, voluntária ou involuntariamente.

A chegada

QUANDO O REPÓRTER CHEGA À REDAÇÃO para mais um dia de trabalho, segue algumas rotinas. A primeira coisa que faz é ligar seu computador e ver se há mensagens do chefe ou dos colegas, recados telefônicos, informações para matérias ou até brincadeiras de outros repórteres da mesma editoria. Para abrir seu terminal, o jornalista tem de usar um código chamado ID, de identidade. Esse código, alfanumérico, é formado por três letras e três números. As letras são normalmente as iniciais do nome, sobrenome ou apelido, e os números só são conhecidos pelo próprio jornalista. Apenas com as letras podem-se mandar mensagens, mas só com letras e números se tem acesso ao terminal.

Em algumas editorias, e dependendo da relação de amizade e cumplicidade dos repórteres, é possível saber a ID de um colega, o que pode facilitar caso a redação necessite de alguma informação que esteja no terminal do repórter e ele não possa ser localizado. O que muitos afirmam é que a manutenção do sigilo e da privacidade dos códigos é ordem das chefias.

Aberto o terminal, é hora de ver a pauta e a matéria que o chefe lhe destinou para aquele dia. Uma vez lida a pauta com as informações e sugestões, o jornalista vai dar uma olhada nos jornais do dia, para ver se encontra alguma notícia sobre o tema, e assim se inteirar do assunto, e também para ver como saiu sua matéria do dia anterior. É sempre motivo de grande satisfação encontrar uma reportagem publicada na íntegra, principalmente se ela tiver merecido uma página ímpar ou a parte superior da página, espaços considerados nobres.

Para os jornalistas, parece natural a página ímpar ser considerada mais nobre do que a par, afinal aprenderam na faculdade que a página ímpar, a da direita, é lida sempre antes da página par (por isso os anúncios publicados nessa página têm preço superior aos da esquerda). Isso só demonstra mais uma vez a preponderância do lado direito sobre o esquerdo, como já foi estudado em relação à vida social. As duas mãos e os dois lados estão associados a qualidades e características opostas e têm funções e significados distintos, ainda que a razão e origem dessa diferença não seja dada *a priori*. A ideia de que o lado direito prevalece sobre o esquerdo em nossa e em várias outras sociedades tem uma explicação: os objetos ou os atos na sociedade têm o significado que os homens lhes atribuem.

Voltando ao jornalista, dependendo da notícia, ou ele vai apurar o fato por telefone, ou irá para a rua em busca de informações mais precisas. Conversa sempre com o chefe, que lhe dá as devidas orientações. Da mesma forma, colegas que já cobriram o assunto podem ajudar, o que é bastante comum. Apurada a matéria, o passo seguinte é pôr o chefe a par do material colhido, deixando a critério dele a decisão sobre o rumo a tomar. O repórter, então, dirige-se ao terminal para digitar sua matéria, do tamanho que lhe parecer adequado ou lhe foi indicado. Fornece as informações sobre as fotos e sobre o fotógrafo, e em seguida a reportagem segue para o redator, que se encarregará do copidesque. Esse seria o percurso do repórter em seu dia a dia.

Como se pode perceber, a rotina do repórter e do jornalista em geral está marcada pelas relações pessoais. Também os movimentos no jornal, no que diz respeito à ascensão hierárquica, vão ocorrer em virtude dessas relações. Ainda que haja um editor de opinião, responsável pela leitura de todo o jornal – fazendo comentários, sugestões, elogios, críticas e reclamações sobre muitas matérias –, os repórteres o consideram apenas "um empurrão para a subida". Na prática, o relacionamento com o chefe e com outros chefes e editores de outras editorias é que vai influenciar uma mudança de posição. Por isso, muitas promoções consideradas injustas são criticadas, da mesma forma que mudanças negativas. E com frequência tais alterações ocorrem da noite para o dia. Por exemplo, atualmente o repórter é da Geral, no dia seguinte passa a pertencer à editoria de Economia, e assim por diante. A maioria só toma conhecimento disso pelo terminal ou no bate-papo com os colegas.

Se os processos promocionais ocorrem por meio de relações pessoais, boa parte das críticas, reclamações ou mesmo demissões não são faladas abertamente, mas se manifestam pelo do computador. Logo, não é de surpreender que os jornalistas concordem que são raras as reprovações escandalosas, do mesmo modo que os elogios ou as demissões e promoções.

Um tema recorrente entre os jornalistas é a escala de plantão, sempre motivo para queixas e reclamações ou suspiros de alívio. Em quase todas as editorias há três turnos, de modo que, a cada dois fins de semana de folga, o profissional trabalhe um. Cada turma de plantão tem um chefe e funciona em esquema de revezamento. Em caso de impossibilidade de trabalho no plantão, é preciso antes de mais nada arranjar um colega disposto a cobrir sua folga e trocar pela dele. Feito isso, é preciso informar a mudança ao chefe. Observe-se que, se por um lado são frequentes as reclamações sobre cumprir plantão, por outro ele não só está implícito no trabalho do jornalista como também explícito no próprio contrato com o empregador.

Embora funcione 24 horas por dia, a redação tem seus momentos de pique. Em torno das sete da manhã, há poucas pessoas na sala. Ali se encontram o chefe de reportagem, o pauteiro, alguns contínuos e os primeiros repórteres da manhã que começam a chegar, sem falar nos que trabalharam de madrugada. Por volta das 10 horas, o movimento já é grande e o barulho intenso. Entre 11 e 16 horas, o período é de calmaria –

os repórteres estão na rua e os redatores ainda não chegaram. Depois das 16 e até as 20 ou 20h30, o movimento vai não só aumentando como se intensificando, e a ansiedade cresce: veem-se várias pessoas correndo de um lado para o outro, ouvem-se gritos aflitos, motivados pela tensão. Está próxima a hora de fechamento do jornal, que não espera ninguém – é o *deadline* (linha da morte), ou seja, prazo fatal. Nesse momento os telefones tocam intensamente e muitas vezes não são atendidos. A maioria dos profissionais reclama deles, diz que não pode atender e foge dos visitantes ou leitores que aparecem no jornal ou os procuram por telefone.

Passado esse clímax, aos poucos a redação vai se esvaziando, silenciando e, por volta das dez da noite ela já está com mais da metade dos terminais desocupados. É a hora da conversa amena, de comentar sobre a pauta e a cobertura do dia; para muitos, a hora do chope relaxante que amortece mais um dia de tensão.

O jornalista

NO INÍCIO DOS ANOS 1990, segundo dados do Sindicato dos Jornalistas Profissionais do Município do Rio de Janeiro, havia na cidade mais de seis mil profissionais[15] distribuídos pelos sete maiores jornais cariocas, por quatro sucursais de outros jornais de fora do Rio, mais de vinte revistas, trinta emissoras de rádio e sete de televisão.

---

15 Segundo o mesmo sindicato, hoje são mais de dez mil jornalistas na cidade do Rio de Janeiro. Desses, 5.343 são sindicalizados e atuam em 6 jornais diários, 10 revistas, 50 estações de rádio e 10 emissoras de televisão, sem falar nos sites e jornais on-line e assessorias de imprensa.

Isso sem contar os jornais de pequeno porte, *house organs* e assessorias de imprensa. Existiam nove faculdades[16] que formavam anualmente, em média, duzentos jornalistas para disputarem um mercado de trabalho em que a competição é acirrada, uma vez que ele não tem crescido na mesma proporção da demanda. O horário de trabalho de um repórter são cinco horas corridas de trabalho, a que podem se somar outras duas horas, pagas como extras, se a empresa fizer constar do contrato. Isso inclui trabalhar nos fins de semana e feriados, de acordo com uma escala de plantão. O que pretendo demonstrar aqui são as primeiras diferenças ou características desse tipo de trabalho, que não segue uma rotina diária comum. Esse horário, chamado especial, obtido por essa categoria profissional, se deu em função da sobrecarga e da tensão que esse tipo de trabalho envolve – o que não quer dizer que o problema da tensão tenha sido resolvido, mas apenas minorado. As doenças mais frequentes entre os jornalistas são úlcera, cardiopatias e outras ligadas ao elevado consumo de álcool. Mais recentemente, com a chegada dos computadores às redações dos grandes jornais, têm surgido também doenças de visão. Algumas estão relacionadas com o estilo de vida boêmio do jornalista e com a tensão própria do ofício. Nesse contexto de trabalho, o consumo de álcool e de drogas está presente, em escalas diferentes, é claro, mas reflete um tipo característico de sociabilidade do grupo estudado. Segundo pesquisa realizada pelo jornalista Silvio Júlio Nassar sobre doenças profissionais entre jornalistas, ocorre que "na verdade o profissional nunca está desligado totalmente. Na prática, o trabalho não tem limites. O próprio fascínio da profissão leva a essa situação".

16 Hoje são mais de dez faculdades, entre públicas e particulares.

Para muitos, o jornalismo é uma profissão que se aprende nas redações, ou seja, na prática. No Brasil, de 1979 a 2009 exigiu-se o diploma de jornalismo para a obtenção do registro[17] que possibilitasse o exercício da profissão. Profissão essa que – embora tenha prestígio e dê status, como vamos perceber ao longo deste livro – nos países subdesenvolvidos, como é o caso do Brasil, só passou a atingir a massa através do rádio e pela televisão. Os jornais, em virtude de seu elevado preço, não são acessíveis a todas as camadas da população, da qual uma parte, além disso, ainda é semianalfabeta.

Outro ponto que me parece importante enfatizar é que a maioria dos órgãos de comunicação do país são empresas privadas com fins lucrativos. São poucas as emissoras de rádio ou os canais de televisão estatais, o que também demonstra que o jornalismo se desenvolveu com a sociedade e dentro dela, que tem no jornal um produto de consumo. Raros são os jornais de cooperativa, sem fins lucrativos ou com empregados que trabalhem principalmente por "amor à arte". O jornalismo hoje faz parte da sociedade capitalista, e o jornalista é uma peça importante dessa engrenagem que produz notícias.

A notícia

DE DEFINIÇÃO AMPLA E COMPLEXA, a notícia é a mola mestra do jornalismo, atrás da qual corre o jornalista. Reza a lenda que se uma pessoa é mordida por um cachorro, isso não é

---

[17] A questão da exigência ou não de diploma de curso universitário de jornalismo para o exercício da profissão no Brasil é um tema polêmico, que desperta inúmeras discussões, e não é meu objetivo abordar o tema.

notícia; se uma pessoa morde um cachorro, isso, sim, se transforma em notícia. Seguindo nessa direção, se estaria valorizando apenas a imprensa sensacionalista, onde o que interessa é o incrível, o fantástico, o extraordinário. Nela, o que acontece no dia a dia de muitos boias-frias, por exemplo, não importa, a não ser que eles comecem uma greve.

Até a Revolução Industrial, se entendia a notícia como o relato de acontecimentos importantes. Hoje temos diversas definições e o tema é polêmico. Para Muniz Sodré, "notícia é todo fato social destacado em função de sua atualidade, interesse e comunicabilidade". Já para Nilson Lage, a notícia se definiria como "o relato de uma série de fatos a partir do fato mais importante, e este de seu aspecto mais importante". O lide[18] da matéria, primeiro parágrafo da notícia, será organizado levando-se em conta o aspecto de mais interesse, que, por sua vez, seguirá os valores de proximidade, atualidade, identificação social, intensidade, ineditismo e identificação humana.

Para o professor Luís Amaral, notícia é "a informação atual, verdadeira, carregada de interesse humano e capaz de despertar a atenção e curiosidade de grande número de pessoas". Por outro lado, não se constrói a partir da argumentação, mas de provas. Ela está baseada em dados, fatos. Por isso ela não questiona; afirma.

Segundo o dicionário de Aurélio Buarque de Holanda, a notícia é algo tão abrangente quanto as palavras "informação" ou "conhecimento", mas ele ressalta a característica de novidade. Aqui já se pode perceber o quanto a dimensão de tempo vai influenciar o jornalismo e o jornalista.

---

18 Tradução para o português de *lead*, o primeiro parágrafo da notícia que deve responder a cinco questões: quem, como, quando, onde e por quê.

O mundo dos jornalistas

Levando em conta essas "diferentes" notícias, observa-se que muitas vezes o que lemos nos jornais ou vemos na televisão não parece estar de acordo com esses critérios. Interesse e comunicabilidade nem sempre são a razão de um fato estar nas páginas de um jornal. Da mesma forma, se os leitores influenciassem consideravelmente os jornais, estes muitas vezes não destacariam, por exemplo, determinados candidatos em época de eleições, sob o risco de perder seu público consumidor.

Quero mostrar, com essa discussão acerca da complexa definição do que é notícia – produto essencial do trabalho do jornalista –, como a questão é muito mais delicada do que parece à primeira vista. E se, por um lado, não acredito que os meios de comunicação de massa, em especial a imprensa, influenciem esmagadoramente seu público, por outro discordo da opinião de que eles não exerçam nenhuma influência ou pressão sobre a sociedade, e mesmo sobre o Estado. Esse parece ser um ponto crítico, que a meu ver deve ser estudado atentamente, o que permitiria perceber as diversas nuanças e tonalidades de cada caso. Existem mais notícias do que as que aparecem nos jornais, e muitos acontecimentos que não estão presentes na TV não são necessariamente contra ela; trata-se de opções diferentes. Com isso, não vou afirmar que a imprensa não tem poder, até porque informação é poder. Muitas vezes caberá ao jornalista decidir pela divulgação ou não de determinado fato que pode afetar a vida de toda uma sociedade. É exatamente para entender o papel e a função do jornalista que desenvolvi este trabalho, mesmo porque os jornalistas, de modo geral, têm muito pouco contato com seu público e dele recebem pouco retorno. Cada jornalista tem uma ou várias "imagens e fantasias" a respeito de seu leitor. Na maioria das vezes ele não conhece bem o seu perfil, até porque ele abarca diferentes segmentos sociais.

Isabel Travancas

O tempo

VALE A PENA EXPLICAR como se define e em que está ancorada a categoria profissional de jornalista. Para essa carreira, como para várias outras, o tempo é um elemento básico em cima do qual se trabalha. Para muitos profissionais, há uma maneira específica de lidar com o tempo. Se o tempo é importante em qualquer profissão, para o jornalista ele é fundamental. Esse trabalhador explicita a dimensão do tempo com sua produção, apuração e redação de notícias. A notícia é definida pela novidade, pelo que é novo, sendo, portanto, o tempo que transforma o novo em velho, a novidade em conhecimento. Um repórter não tem hora definida para sair de uma redação ou para terminar uma matéria. Não existe jornalismo com cartão de ponto ou com um horário rígido de saída. Isso me parece um traço importante da profissão, e mesmo inerente a ela. O jornalista, de certo modo, não é dono do seu tempo: este não lhe pertence, e sim à carreira. E nesse sentido pode-se estabelecer um paralelo com os médicos, que também não podem dispor como querem de seu tempo. Até algumas expressões se assemelham: trabalhar nos fins de semana ou feriados em jornal é "dar plantão", e não trabalhar nesses dias significa "ter folga", sem falar no fato de que amiúde o jornalista não pode sair cedo em dias de eventos importantes, pois precisa ficar de prontidão, aguardando novidades, como o médico com uma paciente grávida ou um doente no CTI, que precisam de acompanhamento em tempo integral.

Para essa categoria profissional, a relação com o tempo vai determinar um *estilo de vida* próprio. Os jornalistas parecem viver dentro de "um outro tempo", como se seu relógio funcionasse bem mais rápido e em outro ritmo. Não é o tempo do dia e da noite, dos dias de trabalho ou dos fins de semana, mas o tempo do trabalho e o tempo do não trabalho, pois trabalha-se de dia e de noite, todos os dias da semana, sem grandes distinções. Entretanto, em muitas sociedades o tempo é regulado por rituais ou festas comemorativas. Apesar de elas não existirem no calendário de um jornalista nem alterarem sua rotina, são notícia.

Em um jornal diário só existe o hoje. O ontem representa um passado distante e o amanhã um futuro longínquo. O que importa é a notícia que tem de ficar pronta para entrar na próxima edição. E o tempo não espera nem abre exceção. Jornal tem de sair todo dia, chova ou faça sol, com ou sem vontade por parte de quem trabalha nele. Vê-se aí, sem dúvida, uma concepção de tempo bem diferente das culturas africanas tradicionais, onde o tempo é um fenômeno de duas dimensões, com um longo passado, um presente e nenhum futuro. O conceito linear de tempo de nossas sociedades, com passado indefinido, presente e futuro infinitos, é praticamente estranho ao pensamento africano.

Ocorre que o ser humano não pode experimentar o tempo com seus sentidos, e sim "reconhecê-lo" mediante a repetição de fatos, o envelhecimento dos indivíduos e a ideia de velocidade com que o tempo passa. O tempo é, portanto, uma noção fabricada pelo homem que projetamos em nosso meio para os nossos próprios objetivos particulares. Nessa linha de pensamento, se poderia encarar o tempo do jornalista também como um tempo cíclico e intenso. Um ciclo que começa e termina todos os dias. Inicia-se com a chegada à redação e termina com a volta para casa. Todos os demais aspectos de sua vida, como família, amigos e outras atividades, ficam "suspensos" pelo tempo do trabalho.

Os jornalistas estariam totalmente voltados para o trabalho. Trabalho que foi definido como importante para eles. O jornalista vai estar a todo instante dividido entre o tempo interior e subjetivo, e o tempo exterior, medido pelos relógios. De certa maneira, pode-se dizer que essa distinção da relação com o tempo acompanhará uma distinção de espaço. Muitas vezes o espaço do jornal, da redação, será a *durée* com um tempo subjetivo e de muito envolvimento pessoal, ficando a *casa* e a *rua* mais do lado do tempo exterior. Não significa negar que o tempo exterior não funcione e não seja aplicado rigidamente nas redações. Ele apenas é sentido de maneira diferente.

2
A ROTINA DO REPÓRTER

O TRABALHO E A PROFISSÃO DOS JORNALISTAS têm especial importância em suas vidas e em seu *mundo*. O *mundo do trabalho* é um domínio que se ligará a outros e constituirá um referencial para várias experiências.

É justamente dentro desse mundo específico que entraremos. A partir de agora, tentarei me aproximar mais dos profissionais em questão, para perceber seu dia a dia, sua relação com o trabalho, o tempo dedicado a ele e suas rotinas mais comuns, se houver.

Para poder entender melhor a vida diária de um jornalista no Rio de Janeiro, além das muitas entrevistas que realizei durante cerca de dois anos, em 1989 e 1990, recorri também a um recurso que me permitiu constatar e detalhar muito do que meus informantes declaravam em seus depoimentos: o acompanhamento sistemático de três repórteres durante uma jornada de trabalho. Embora a jornada tenha se resumido a algumas horas de seu dia, tal vivência proporcionou-me uma amostra do cotidiano desse grupo. Para tanto, selecionei-os em áreas e órgãos distintos: um de jornal impresso diário, um de televisão e um de rádio. A seleção desses profissionais para acompanhamento beneficiou-se muito do fato de eu ser jornalista, de ter trabalhado vários anos como tal e de ter muitos amigos jornalistas, os quais, na maioria das vezes, me sugeriram colegas para essa investigação. Entretanto, os profissionais não foram sorteados ao acaso; procurei aqueles com os quais eu já tinha algum contato e/ou que considerava bons profissionais.

Optei por acompanhar repórteres, e não outro profissional da categoria, como editores ou redatores, porque creio que a atividade de repórter é paradigmática para a carreira. Ela reúne diversas ocupações do jornalismo. O repórter vai para a rua apurar a notícia e volta à redação para escrevê-la. Para o grande público e o senso comum, é a imagem do repórter que define o jornalista.

Escolhi pessoas de meios e veículos diferentes por considerar que há algumas diferenças importantes e interessantes a ser estudadas entre o jornal, a televisão e o rádio que influenciarão de forma considerável o dia a dia de seus profissionais. Tive igualmente o cuidado de não trabalhar com jornalistas de uma mesma rede de comunicação, pois há empresas que englobam canais de televisão, emissoras de rádio e jornais impressos, e, caso eu me fixasse em um único grupo jornalístico, poderia acabar avaliando apenas as filiais de um mesmo órgão de comunicação, o que iria contra meu propósito de diversificação.

Entre meus muitos entrevistados, procurei, decerto, amigos e colegas; no entanto, não quis fazer a etnografia com nenhum jornalista das minhas relações porque se, de um lado, isso facilitaria o desenrolar do trabalho, de outro me traria alguns problemas que o distanciamento evita.

O mundo dos jornalistas

Assim, os três repórteres pesquisados não são amigos meus, mas amigos ou conhecidos de amigos meus que concordaram em ter uma pesquisadora um dia inteiro no seu calcanhar. Devo ressaltar aqui que todos os três se mostraram bastante disponíveis para o meu trabalho, interessados no tema e muito curiosos quanto às conclusões. Sem falar que salientaram o "exotismo" do assunto. "Jornalista não é tema para pesquisa...", disseram.

Meus comentários sobre quem são esses profissionais justificam-se porque, na qualidade de jornalista, não só me sinto como me mostro bastante envolvida com o trabalho, e não considero tal fato um problema ou empecilho para a sua realização. Existe sempre um envolvimento com o objeto de estudo, o que não é em si um problema ou uma desvantagem.

Ainda que o meu objetivo tenha sido definir o que significa ser jornalista e que *visões de mundo e estilos de vida* essa profissão suscita, não tenho o intuito de construir um estereótipo ou criar uma camisa de força para meus informantes. Ao contrário, pretendo, mediante seus depoimentos, nuançá-los ao máximo, sem com isso perder de vista as semelhanças.

Cabe tecer algumas considerações sobre os veículos de meus três pesquisados. Os três são órgãos de grande importância e prestígio em suas especialidades e com lugar de destaque na mídia. São empresas lucrativas que não viviam problemas financeiros, ou seja, órgãos bem-sucedidos tanto empresarialmente como no que diz respeito a público. E para os jornalistas são conhecidos como locais desejáveis para se trabalhar. Cada um, a seu modo, estava no topo da pirâmide de sua área de atuação.

Antes da etnografia, vale destacar uma série de diferenças entre os tipos de veículos. Um repórter de televisão diferencia--se de um de jornal ou rádio basicamente pela aparência. A televisão é um meio em que a imagem é fundamental, por isso uma repórter, por exemplo, deve estar sempre maquiada, penteada e bem-vestida, principalmente da cintura para cima, que é o que aparece no vídeo. Esse é um detalhe que de saída chama a atenção. É fácil identificar os repórteres de TV em uma coletiva: os homens estão de terno e as mulheres maquiadas e com a aparência apurada, o que não é exigido em uma emissora de rádio ou jornal.

Esse aspecto, que parece ser apenas um detalhe, é comentado entre os profissionais de televisão como uma questão às vezes complicada, devido à imprevisibilidade do trabalho. Em geral, somente ao chegar à redação um repórter conhece sua pauta para o dia, e muitas vezes ele ou ela acha que não está vestido adequadamente para a ocasião. Alguns comentam: "A gente nunca sabe se vai cobrir uma missa celebrada pelo cardeal, um tiroteio na Rocinha ou um encontro de ministros estrangeiros". Sem falar também do ambiente: tanto nas emissoras de televisão como na redação de jornais, a temperatura é sempre baixa por causa dos microcomputadores e das ilhas de edição, ao passo que na rua muitas vezes o calor é de mais de trinta e cinco graus. O imprevisto é uma marca presente até na indumentária.

A maneira de vestir está carregada de significados culturais. Assim, merece atenção não só o vestuário dos repórteres de televisão, mas da categoria como um todo. Um informante garante que é possível identificar um jornalista apenas pela roupa, porque "ele é menos arrumado, menos engomado que outros profissionais, talvez pelo imprevisto da profissão".

Entretanto, o importante é destacar que o vestuário para o meio televisivo tem um peso e uma dimensão maiores do que para o restante da categoria. É preciso aparecer na tela bem-

O mundo dos jornalistas

-vestido, com uma roupa elegante, que não seja vulgar e denote a credibilidade não só do repórter como da emissora. Portanto, minissaias e decotes ousados não são permitidos para mulheres, nem camisetas para os homens. E, quando se fala de aparência e de imagem, vale lembrar que os repórteres de televisão não se perdem no anonimato da classe, como acontece normalmente com os jornalistas de rádio e jornal; ao contrário, são reconhecidos na rua e identificados pelos telespectadores.

No meio jornalístico, os profissionais se conhecem e se identificam, mas quando o reconhecimento ocorre fora dessa esfera, muita coisa muda. Vários jornalistas de outras áreas consideram que os repórteres de televisão estão a um passo do estrelato e da vida artística. Para os primeiros, a atuação do jornalista vai depender em muitos casos de seu anonimato, peculiar à vida da metrópole e que possibilita a seus habitantes trânsito livre, sem controle ou identificação, num contexto da mais alta impessoalidade. E se o anonimato está relacionado com o desempenho do jornalista, a atitude *blasé* também está bastante ligada à ocupação. O jornalista, pelo *estilo de vida* que sua profissão suscita, de intensa atividade e mudanças, com tensão constante e excesso de estímulos, será um candidato natural a uma atitude *blasé*, resultante de estímulos contrastantes devido às rápidas mudanças impostas aos nervos e à busca incessante de prazer, o que acaba levando a uma incapacidade de reagir aos novos estímulos.

Os principais instrumentos de trabalho de um repórter de jornal são papel e caneta ou lápis; já o de televisão, além de papel e caneta, conta com grande aparato técnico, que inclui três auxiliares – um cinegrafista com a câmera de vídeo, um iluminador e um responsável pelo VT, que opera o aparelho. Gravador é o instrumento mais necessário para um repórter de rádio, além de papel, caneta e do jacaré, aparelho que permite a transmissão da entrevista ou mensagem gravada em fita cassete diretamente para a emissora, por telefone. Esses dados são importantes, pois acabam determinando uma movimentação diferente dos profissionais. O repórter de jornal tem mais agilidade para correr atrás de um depoimento, mas deve estar acompanhado do fotógrafo, que registrará a cena. Este, sim, talvez enfrente mais dificuldades por causa do equipamento fotográfico que precisa carregar. Isso se torna mais complicado ainda para um profissional de rádio, que terá de preparar o gravador a tempo. E para a televisão tudo será bem mais difícil, pois, além do repórter, haverá três pessoas envolvidas na transmissão que devem lidar com fios e uma aparelhagem pesada. Somente a câmera de VT pesa em média nove quilos, enquanto um aparelho de VT cerca de treze, o que dá bem uma ideia do que significa ter de movimentá-los com rapidez.

Outro dado é que informação se espera dos profissionais de cada tipo de veículo. Se um repórter de jornal precisa colher o máximo de informações possíveis sobre o assunto, nos mínimos detalhes, um profissional de TV não necessita fazer uma apuração minuciosa e profunda dos fatos, mas apenas levantar os dados mais importantes – o chamado *lead* da matéria – e imagens que ilustrem adequadamente o texto. *Lead* é a abertura da notícia, onde, segundo os manuais e técnicas de jornalismo, devem estar respondidas as seguintes indagações básicas sobre o assunto: quem, o quê, onde, como, por quê e quando. Para a televisão não basta apurar e passar adiante as informações; as imagens são tão importantes, se não mais, quanto o texto. No jornal diário, o repórter muitas vezes indica e sugere fotos ao fotógrafo, pois elas também dão peso à informação, embora de outra maneira. De-

O mundo dos jornalistas

pendendo do caso, pode-se recorrer a uma ilustração ou a uma foto de arquivo. Para uma emissora de rádio costuma ser fundamental a gravação do depoimento da pessoa ligada à matéria. O tempo dedicado a cada reportagem, bem como o momento de voltar à redação, passar a matéria por telefone ou mandar a fita variam de acordo com a pauta e o órgão. Em geral, o repórter de jornal apura tudo que puder em tempo hábil e segue rápido para a redação, a fim de escrever a matéria. Já um jornalista de rádio, principalmente se a emissora apresenta vários noticiosos ao longo de sua programação, terá de fazer a matéria no próprio local em que a colheu e passá-la por telefone para que ela entre no próximo noticiário; feito isso, provavelmente parte para outra reportagem. Em televisão também é bastante comum o repórter gravar toda a matéria, o texto em *off* (lido sem que o repórter apareça no vídeo), a cabeça (a abertura da matéria) e as entrevistas, e mandar em seguida a fita, ou fitas, para a redação, que a editará para que entre no jornal seguinte.

Interesses e necessidades comuns são outros fatores de união. Uma atitude comum entre os jornalistas em uma cobertura é eles se agruparem de acordo com o tipo de órgão para o qual trabalham. Ou seja, repórteres de rádio formam um grupo, de televisão outro e de jornal outro ainda. Isso não impede que todos se relacionem, conversem, troquem informações entre si. Quando chegam a uma coletiva, por exemplo, sempre procuram seus pares. E isso se explica, primeiro, por causa das mesmas necessidades. Um repórter de jornal raramente vai pegar com um jornalista de rádio os mínimos detalhes sobre a família de um criminoso que está sendo julgado. O profissional de rádio dificilmente terá essas informações para passar, uma vez que elas não são exigidas pelo seu veículo.

Saber onde fica o telefone mais próximo[19], quem é o criminoso, para informar o fotógrafo, ou onde há uma sala mais silenciosa para gravar a passagem (intervenção do repórter entre duas imagens do fato noticiado) são informações importantes que se obtêm facilmente com os colegas. Momentos como esse demonstram que a competição entre repórteres não é radical. E, de acordo com os depoimentos, na rua ela se dilui ainda mais, sendo expressivo o intercâmbio entre colegas. E, claro, há relações de amizade extratrabalho. O nome do jornal para o qual se trabalha é a primeira pergunta feita a um desconhecido no grupo. E foi uma das perguntas que mais me fizeram quando acompanhei os três repórteres: "Você está cobrindo para onde? Você é de onde?". Sem falar nos que chegavam depois e quase me exigiam informações sobre o que estava eu fazendo ali. E até que eu explicasse... Muitas vezes me peguei respondendo e dando informações... Não que aquilo fosse um problema, mas a minha função era outra. E vale destacar que muitas vezes, ao longo do trabalho de campo, nós, antropólogos, somos, por força das circunstâncias, "convidados" a participar mais diretamente das atividades do grupo.

Antes de mergulharmos mais detidamente no dia a dia dos três profissionais, é preciso ressalvar que muitas das conclusões, comentários e opiniões dos informantes, além dos meus próprios, não se restringem à realidade desses três repórteres e a seus dias de trabalho. Entrevistei muitos jornalistas de jornal, rádio e televisão, e seus depoimentos também estão presentes nesta parte da etnografia.

---

19 Naquela época, os telefones celulares ainda não tinham entrado no mercado brasileiro.

Um dia no jornal

VOU PARA O JORNAL ENCONTRAR A REPÓRTER numa terça-feira, às oito da manhã, pensando no que diz o jornalista Ricardo Kotscho: "Repórter só deve ser repórter se isso for irreversível, se não houver outro jeito de ganhar a vida, se alguma força maior o empurra para isso". Chego à redação na hora marcada, mas minha informante ainda não está lá. A redação está vazia e silenciosa, não se pode ver o dia chuvoso lá fora, mas o clima frio é o mesmo das ruas. Eis que a repórter chega, um pouco atrasada, reclamando do ônibus e da correria.

Deixa suas coisas em uma mesa, cumprimenta-me rapidamente e vai falar com o pauteiro. Ele está terminando a pauta para aquele dia e ela dá palpites. Ainda não há nada marcado para ela. O chefe de reportagem ainda não chegou. Ela dá uma olhada nos jornais do dia, faz comentários sobre sua matéria da véspera, me pergunta sobre a pesquisa. Minha informante é repórter da editoria Geral, tem 25 anos, trabalha há quatro, sendo três neste jornal. É solteira, não tem filhos, mora em Niterói com a família. Afirma abertamente que gosta muito do que faz, mas também não sabe por que foi cair nessa profissão.

Enquanto espera uma pauta, conversamos, e ela torce para que lhe deem logo uma, de preferência bem interessante. Nessa rápida conversa, é possível notar como se costuma definir uma *boa matéria* – é aquela reportagem que repercute muito, que sai na primeira página, que todo mundo lê e é alvo de comentários, em geral positivos e elogiosos. Um fator importante na rotina é a demora em receber a pauta. Quanto mais tempo o repórter demora para sair, mais tarde voltará à redação. O ideal de todo repórter, afirma ela, é chegar à redação, pegar a pauta e ir direto para a rua. Existe também o temor de que o surgimento de outra matéria acabe prejudicando o horário de saída, por isso não é à toa que muitos comentem que, quando se aproxima o final do turno, alguns repórteres se escondem atrás do terminal ou vão para o banheiro. Esperar demais pela pauta não é, porém, uma prática comum. Em geral há sempre matéria para fazer. Esse momento de espera, se for muito longo, vem acompanhado de reclamações do tipo "É um tédio", ou "Dá aflição ficar parado", numa situação que chamam de *stand by*. Ao mesmo tempo, se acontece um imprevisto na cidade, é esta repórter quem vai cobrir, por ser a primeira na escala do horário.

Depois de uns quarenta minutos, período em que vão chegando outros repórteres, que logo entabulam conversa, ela abre o terminal em busca de possíveis recados e da pauta. O computador é um elemento já incorporado à vida da repórter, que não demonstra dificuldade em utilizá-lo amplamente. Como salientam vários jornalistas, esse dispositivo é considerado pela geração mais jovem "a maior maravilha do mundo", à qual a maioria se adaptou rapidamente (graças aos cursos ministrados pela própria empresa), explorando com desenvoltura seus recursos de arquivamento de informações, envio de mensagens, alterações no texto etc. O terminal indica a ela uma matéria sobre o departamento de trânsito, mas só para as 11 horas. Enquanto isso, terá de esperar, tempo que ela aproveita para pedir ao departamento de pesquisa material sobre o assunto, a fim de adiantar a apuração.

Com frequência, esses momentos de espera para a saída são interrompidos por colegas que vêm trocar ideias, pelo chefe que chega perguntando o que ela vai cobrir, assim como pelo telefone que a faz levantar-se para ir atendê-lo. Comenta sobre sua rotina, em grande parte determinada pelo trabalho. Acorda às seis e meia para chegar à redação às nove, pois não possui automóvel e mora longe. Chega à redação, vê a pauta que o chefe lhe passou e vai para a rua com o carro de reportagem, acompanhada do fotógrafo. Enquanto aguarda a hora de sair, lê os jornais. Teoricamente, deveria fazer uma matéria por dia, mas em geral acaba fazendo duas. Fala sobre a desvantagem de trabalhar de manhã, porque o primeiro clichê do jornal tem de ficar pronto às 19 horas, prazo fatal para a entrega da matéria, independentemente do seu horário de sete horas. Ressalta que nem sempre consegue sair no horário, só mesmo nos fins de semana ou feriados, quando dá plantão. "Meu horário de saída é às 15 horas", diz, mas "na maioria das vezes saio às 16, já saí às 17, 18 e até às 20." Antes do horário, enfatiza, nunca saiu. Depois do trabalho, tem outras atividades, como curso de idiomas, aula de dança e natação. Diz que não costuma faltar muito ao curso de idiomas, mas que perde muito as outras aulas, por terem horário mais próximo ao de saída do jornal.

Depois de todas as suas atividades extratrabalho, vai para casa, lê jornal, vê um pouco de televisão e dorme por volta das 22 horas, já exausta. Às sextas-feiras essa rotina muda um pouco e ela vai a um cinema ou à instituição mais tipicamente jornalística – o bar.

A jovem profissional fala que gostaria muito de trocar de horário, de passar para o turno da tarde, mas que também se daria por satisfeita se pudesse chegar uma hora mais tarde, para evitar o horário do *rush* e os problemas de transporte. Ressalta que, apesar de todo o sufoco, vale a pena.

Nos fins de semana em que não trabalha – para cada dois de descanso, dá plantão em um –, vai à praia, ao cinema ou a barzinhos. Atualmente não tem namorado, e diz que é difícil arranjar um parceiro não jornalista que compreenda esse trabalho só com horário de entrar e sem horário de sair, e que às vezes se estende para as noites e fins de semana.

    O tempo passa devagar para ela nesse dia. Ainda são 10 horas e não surgiu nenhum fato novo, só a matéria das onze. Reclama que fica louca para sair para a rua, que é um tédio ficar esperando, e lembra que nunca aconteceu de não sair. Chega a pesquisa, ela dá uma lida no material e faz algumas anotações. Uma colega pede informações sobre um assunto que ela cobriu há poucos dias. Ela aproveita para falar sobre o relacionamento social com os companheiros de redação dentro e fora do jornal. A seu ver, varia muito de editoria para editoria; em geral, eles se comunicam melhor nos fins de semana, quando há menos gente na redação e o clima é mais descontraído. Mas há muita competição, principalmente quando entra alguém novo. Com os colegas dos outros jornais, as relações no dia a dia são boas. Eles passam as informações uns aos outros, o que, na sua opinião, é fundamental.

    Essa imagem de uma cadeia de solidariedade pode surpreender os leitores, que muitas vezes imaginam repórteres sempre ávidos pelo furo, alguns egoístas e inescrupulosos, ansiosos por se destacarem em seu jornal e no meio profissional. Na prática, porém, verifica-se que as coisas não acontecem exatamente assim. Claro que cada um deseja ver sua matéria na primeira página, mas também há entre a classe um acordo preestabelecido de divulgação das informações. Um furo não é passado para um colega, mas também é preciso considerar que ele não acontece todos os dias. E para os repórteres é óbvio que seu jornal quer exclusividade naquela matéria e que a chefia está dando toda a atenção ao assunto. Então as informações apuradas não serão divulgadas para todos. Esse tipo de atitude, que faz parte do código da profissão, é compreendido por todos e seguido por muitos. Mas há também os preteridos pelo grupo. São os jornalistas que querem passar na frente de todos os outros, que não distribuem a informação, que querem fazer tudo sozinhos.

Para minha informante, o jornalista tem uma imagem muito glamorosa; costuma andar bem-vestido, está nos lugares certos na hora certa. "Uma imagem que a meu ver está mais ligada à televisão, e não à realidade." Entretanto, salienta que não se decepcionou com o trabalho de jeito nenhum; sente-se frustrada com o jornal, mas não com a profissão. O órgão em que trabalha a faz sentir-se muito tolhida.

São 11 horas. Hora de sair para a apuração. Ela avisa o chefe que está indo, informa que irei junto (eu já havia pedido autorização por escrito para acompanhá-la no carro de reportagem), chama o fotógrafo e descemos. No térreo, fala com o motorista e entramos no carro. O ambiente é tranquilo, ela conversa com o motorista sobre o endereço. O que notei ao acompanhar os três repórteres e conversar com outros é que em geral a relação com os demais membros da equipe, por exemplo motorista e fotógrafo, nem sempre é tranquila. Na maioria das vezes ela se revela conflituosa, pela própria tensão do trabalho, garantem alguns. Em certos casos, o fotógrafo reclama de o repórter querer apurar informações demais, ou então este tenta apressar o fotógrafo por achar que está sendo muito lento; em outros, o motorista não sabe o caminho. E, como afirma um jornalista, "é preciso fazer um esforço muito grande para não brigar, porque dependemos todos uns dos outros". O fotógrafo vai na frente, ao lado do motorista, o que segundo ela é uma norma no jornalismo: se houver qualquer evento no caminho ele é o primeiro a sair e fotografar. Ela então comenta com o fotógrafo sobre a matéria, diz que a acha fraca. "Não deve render muita coisa", na sua opinião. Na chegada vão entrevistar o diretor do Detran, e resolvem percorrer o trajeto onde foram introduzidas mudanças no trânsito.

Na entrada do Detran, a repórter encontra vários colegas, ela cumprimenta alguns com mais intimidade e logo vai perguntando se a entrevista começou e se eles já têm informações sobre o assunto. Ainda não começou, todos estão aguardando. Ela conversa, apresenta-me ao grupo. Comenta o fim de semana de plantão e a matéria da véspera, e fala a respeito do diretor do Detran.

Uns dizem que ele está atrasado, outros que a matéria em questão não é grande coisa. Consideram-na uma matéria fria, sem grandes atrativos para o repórter; um trabalho rotineiro, em que o profissional não tem condições de mostrar um bom desempenho. Reportagens importantes são os acontecimentos imprevistos e de grande porte, que têm mais chance de ir para a página ímpar ou de darem primeira página, o que não é o caso da matéria desse dia.

Após um aviso, inicia-se a entrevista na sala do diretor. Logo depois, chega um repórter de rádio querendo saber do andamento da entrevista; começa a me inquirir sobre dados que, infelizmente, não possuo. Ele estranha. (Por que eu não queria informá-lo do que estava acontecendo?) Durante a coletiva pode-se perceber como os repórteres se distribuem. Bem na frente, posiciona-se um de televisão, seguido dos de rádio, com gravador na mão, bem próximos do entrevistado, e, mais atrás, os de jornal. Durante a entrevista, muitos fazem perguntas, quase todos anotam. Às vezes, os repórteres de rádio e os de televisão – só há uma emissora presente – parecem não acompanhar de fato o

O mundo dos jornalistas

acontecimento, como se o gravador ou a câmera estivessem trabalhando por eles. Terminada a entrevista, a televisão se retira rapidamente, em seguida o pessoal de rádio faz o mesmo, e alguns repórteres de jornal ficam ainda na sala obtendo mais detalhes com o diretor. Na saída, conversam sobre o assunto, trocam opiniões sobre o que vão colocar na matéria e como pretendem começá-la. Alguns vão embora, outros ficam. Nós saímos, para acompanhar o diretor e ver de perto as ruas em que o trânsito vai mudar e por quê.

No caminho, repórter e fotógrafo conversam sobre a reportagem e se interrogam sobre as possibilidades de as mudanças trazerem melhorias ao trânsito. Chegando ao local, esperamos o diretor; a repórter conversa sozinha com ele e em seguida chegam outros repórteres. Pedem informações a ela, que as dá sem problemas. Enquanto isso, o fotógrafo faz a sua parte. Acabadas as fotos, voltamos para a redação. Ambos reclamam da fome e comentam ironicamente sobre os "prazeres" da profissão, entre eles não ter hora certa para comer, muito menos lugar. São 14 horas.

Na redação, minha entrevistada vai falar com o chefe de reportagem, para informá-lo sobre a matéria. Depois de receber algumas orientações, ela avisa que vai almoçar. Procura os colegas, para saber quem ainda não almoçou. A maioria já comeu, mas um colega está acabando um texto e pede-lhe que o espere. Enquanto isso, ela conversa com outros repórteres sobre a saída e o local de almoço. No caminho para o restaurante, explica meu trabalho para o colega, bem como uma determinação recente feita aos repórteres da Geral. As mulheres não podem mais usar tênis e os homens, camisa sem gola. Ela conta que na semana anterior uma repórter foi fazer uma matéria com o dono do jornal e ele reclamou com o chefe de reportagem que a moça estava de tênis. Voltamos aqui à questão do vestuário e da aparência.

O tema no almoço gira em torno da profissão e de problemas como a baixa remuneração e o descumprimento das leis trabalhistas; da muitas vezes espinhosa relação com os chefes, pois alguns são problemáticos, dificultam o trabalho. Os dois reclamam também dos redatores; segundo os depoimentos, esta parece ser a função com que mais os repórteres se atritam no dia a dia da profissão. O redator é tido com alguém que "poda" a criatividade do repórter, por querer dar o máximo de notícias no menor espaço.

Os jornalistas prosseguem falando sobre as relações com os colegas e a competição entre eles. Tal competição existe e para muitos é acentuada por não existir um plano fixo de carreira, e nem sequer para a ascensão por tempo de serviço. Mas isso não é o pior. Além de ser competente, é preciso fazer parte de um grupo ou ser o "escolhido" de algum chefe, para aí "ser puxado". E destacam que, na maioria dos casos, o crescimento profissional está associado a relações pessoais de amizade e simpatia. Para ser um dos "favoritos", é preciso ser "furão", conseguir chamar a atenção do chefe e conquistá-lo.

Findo o almoço, eles têm de voltar para a redação e escrever a matéria. Para muitos, é a chamada "hora da angústia": tentar organizar as anotações, pensar no que é mais importante, selecionar os principais dados e fazer um bom *lead*, ao mesmo tempo informativo e criativo. Um momento de nervosismo. Ela verifica suas informações, lê novamente o material da pesquisa. Começa a escrever, apaga, escreve de novo, muda algumas coisas. A matéria começa a tomar forma no terminal. Grita para um colega, pedindo o nome da rua em que esteve, que ela se esque-

O mundo dos jornalistas

ceu de anotar. O fotógrafo manda os contatos das fotos. Ela seleciona uma e informa na matéria a foto escolhida e o nome do fotógrafo. Por volta das 16 horas, termina sua tarefa. Relê a matéria na tela e a envia para o sistema, onde ficará arquivada. Lá o redator faz a revisão e as mudanças que julgar necessárias. Aqui termina sua jornada de trabalho. Despede-se dos colegas e vai acabar seu dia lendo jornal e vendo na televisão as reportagens do momento. O que foi possível perceber ao acompanhar o trabalho dessa repórter foi não só sua rotina diária como também suas relações sociais advindas do trabalho. São comuns as trocas entre jornalistas e suas fontes ou entrevistados. Fazer uma matéria que os favoreça é quase uma garantia para obter informações exclusivas em outro momento. Para muitos, essa espécie de intercâmbio não é o motivo da reportagem; já para outros, uma matéria é sempre um campo aberto de possibilidades e ofertas. E há níveis diferentes de relação. Se é importante ter boas relações em locais-chave, convém que esses laços não comprometam um trabalho isento e realizado com ética. Fazer uma matéria elogiosa não é crime nem é malvisto pela categoria, desde que isso não seja percebido como um trampolim para a obtenção de favores ou informações.

A notícia na TV

ATÉ AQUI DESCREVI O DESENROLAR DO DIA de um repórter de jornal. Passo agora a me deter no cotidiano de um jornalista de televisão. Minha informante é uma mulher de 27 anos, casada, sem filhos e que trabalha há quatro anos. Atualmente tem dois empregos: de manhã em uma emissora de rádio e à tarde em uma emissora de televisão. Seu marido não é jornalista.

Apesar de algumas dificuldades, afinal acertamos o dia em que eu acompanharia a equipe de reportagem, desde que fosse em meu próprio carro. Nesse aspecto, cada empresa jornalística adota um critério e nem sempre é possível barganhar.

Minha chegada à redação da emissora de TV foi no horário combinado: meio-dia. A repórter já tinha em mãos sua pauta. Vai cobrir o "fato do dia", segundo ela, e está animada. Trata-se do julgamento de um rapaz acusado de matar uma jovem de quinze anos ao atirá-la de seu apartamento, depois de ter tentado violentá-la. Tornou-se um processo famoso, que recebeu destaque na imprensa desde quando o crime foi cometido, há cinco anos. O julgamento já fora adiado diversas vezes, por diferentes motivos, e havia no ar um clima de expectativa.

Depois de uma breve conversa na redação e uma vez acertados alguns detalhes com a chefia, a repórter e sua equipe saem a campo. O julgamento será no fórum e está marcado para as 13 horas. Ela se mantém tranquila, pois está bem-informada sobre o caso, tendo inclusive coberto os julgamentos anteriores, o que sem dúvida facilita seu desempenho, uma vez que conhece os envolvidos no caso: o pai da menina morta, os advogados de acusação e defesa, o réu e alguns de seus familiares. Esse é um aspecto importante: muitas vezes um repórter "come bola" por não identificar uma pessoa do caso.

Vou no meu carro e combinamos nos encontrar no fórum. Embora se trate de um local repleto de gente e ainda mais movimentado naquele dia, não foi difícil achar a sala do julgamento: bastou descobrir uma grande fila formada por estudantes de direito, interessados em assistir à "uma boa aula". Além disso, di-

O mundo dos jornalistas

versas equipes de repórteres de televisão, rádio e jornal já estavam a postos no lugar apropriado.

Encontro a repórter dando orientação ao cinegrafista e auxiliares sobre as imagens que acha necessárias. Enquanto eles se preparam, nos sentamos em um canto e começamos a conversar. Ela logo me avisa que aquilo vai demorar – da outra vez o julgamento atrasou mais de uma hora – e que, portanto, poderíamos aproveitar o tempo de espera. Por outro lado, informa que se chegar alguém importante terá de interromper imediatamente a nossa conversa.

Ela então vai relatando que seu dia começa cedo, por volta das sete e meia, quando se levanta, toma café e se arruma para ir à rádio, onde trabalha como redatora. Não sai para a rua, apenas redige notas para os noticiários da emissora, que vão ao ar de hora em hora. Gosta de trabalhar na rádio, cujo ambiente é amigável, embora se sinta num clima de funcionalismo público. Ainda assim, prefere o trabalho da rádio ao da TV, "porque é bem mais tranquilo, menos paranoico e não tem tanta responsabilidade". Vale comentar que essa rádio não dispõe de uma intensa programação jornalística. A jornalista sai da emissora pouco antes do meio-dia, tempo suficiente para comer um sanduíche e estar na televisão às 12 horas.

"Na TV, dependendo da matéria que ficou pra mim, vejo televisão e leio jornal, ou melhor, dou uma olhada, porque já li os jornais do dia na rádio. Em média, faço umas duas matérias por dia. Hoje não, faço só esta, porque é a matéria do dia."

A repórter comenta o trabalho do jornalista de televisão, obrigado a ter uma atenção redobrada com a sua matéria, porque os membros da equipe às vezes relutam em fazer determinadas imagens, são mal remunerados, nem sempre estão com disposição e além disso carregam muito peso, pois os equipamentos de TV pesam cerca de dez quilos. "Tenho que lembrar o tempo todo que eles façam imagens de fulano e beltrano, senão eles não fazem."

Nossa conversa é interrompida por um fotógrafo amigo, que se aproxima para falar com ela. O tema é o julgamento. Os comentários são sobre o fato de ser a matéria do dia, o que traz vantagens e desvantagens. Por um lado, vai ser "moleza", afirmam, porque não vão ter de sair correndo para fazer outra reportagem; por outro, vai demorar horas, podendo até durar a noite toda. Mais uma vez surge a questão da boa matéria. Ela ainda não está pronta, mas já se pode prever que vai ser boa, já que o julgamento é o assunto principal do dia. A não ser que surja outro fato mais importante, estar cobrindo esse assunto já é um sinal de prestígio e *status* no grupo. O assunto agora passa da esfera profissional para a social: a festa de uma jornalista amiga no fim de semana seguinte. Comentam quem vai e onde vai ser. Voltam a falar sobre a matéria, e ela diz que recebeu do juiz a permissão de fazer um *flash* para o jornal – apenas para duas televisões e um fotógrafo. Insiste em que seu amigo fique atento, porque não haverá condições de todos entrarem.

Novamente observo as relações pessoais interligadas com as profissionais e trocas sendo feitas. Elas fazem parte da rotina do jornalista, sejam trocas entre os colegas ou com os envolvidos no assunto da cobertura, como o caso do juiz que concedeu a autorização para um *flash*.

O fotógrafo seu amigo vai embora, e o assunto seguinte é a profissão em si. Minha informante diz apreciar a carreira que escolheu, mas salienta que antes gostava muito mais. Acha que o desgaste ocorreu por causa da editoria em que trabalha – a Geral.

"*O problema é que estou há três anos na Geral e todo dia é a mesma coisa. De vez em quando pinta uma novidade. Mas quase sempre é buraco e passeata. De vez em quando também pinta um tiroteio.*"

Ela não é a primeira profissional a reclamar do aspecto repetitivo da profissão, o que pode soar estranho para quem está do lado de fora. Como falar em repetitivo ou monótono, se todo dia é diferente? A cada dia é uma matéria nova; além do mais, e o imprevisto? Na realidade, para esses profissionais há um elenco de temas dentro de uma editoria Geral, e, caso não surjam imprevistos e novidades, eles serão recorrentes. Quando comentam entre si que o dia está fraco, significa que não surgiu nada de diferente ou, num certo sentido, até "anormal". Mas, ao mesmo tempo que se mostram *blasé* no tocante aos fatos corriqueiros que aparecem no jornal, deixam transparecer uma forte *adesão* à profissão.

Ao acompanhar uma jornada de trabalho de um repórter notam-se determinados padrões de comportamento dessa categoria, ainda que eles não sejam detectados por seus membros como ações conscientes e voluntárias. Durante o período de espera para o início do julgamento, chegaram familiares da vítima e do acusado. Os jornalistas foram em bloco falar com eles, ansiosos por um depoimento. Seguem-se entrevistas com o pai da vítima, que recebe bem a imprensa e fala com tranquilidade; o mesmo não acontece com a mãe do acusado, insistentemente fotografada e filmada, mesmo quando chorava e tentava fugir do assédio da imprensa – aliás, um tipo de comportamento considerado natural pelos jornalistas. Embora minha informante ressalte que não tentou entrevistar mãe, por não achá-la em condições e também por saber que a entrevista lhe seria negada, ela afirma que, se insistisse para que o seu cinegrafista não filmasse a senhora, não seria atendida, por causa da competição. Se as outras emissoras fizeram a imagem, eles teriam que fazer também.

Situações como essa mostram quão delicada e tênue é a linha que separa as atitudes éticas das não éticas no exercício da profissão. Se aos olhos do público que aguarda o início do julgamento a atitude dos jornalistas é considerada como a de "urubus sobre carniças" – como cheguei a escutar de uma mulher –, por outro lado cabe ao repórter mostrar ao telespectador o que está se passando no local e as pessoas ali presentes.

Chegam os advogados. Eles também são entrevistados e dão explicações e sugestões à imprensa sobre o desenrolar do caso e o tempo provável de duração do julgamento. A repórter, com alguns colegas, acerta o local a ser ocupado pela imprensa dentro da sala. Fala com o juiz, depois com os guardas, até que finalmente tudo fica esclarecido, e todos, munidos de seus crachás, entram numa sala do andar superior, que logo é chamada de "tribuna da imprensa". Nesse recinto quente, apertado e sem cadeiras, as pessoas entram em acordo para que cinegrafistas e fotógrafos ocupem uma posição privilegiada, de onde possam visualizar de forma adequada o ambiente. Já passam das 15 horas e o julgamento ainda não começou. Algumas pessoas estranhas à profissão descobrem o local, mas são imediatamente expulsas, com a ajuda de um segurança.

Alguns permanecem na pequena sala, uns saem para comer um sanduíche, preocupados com a perspectiva de muitas horas de julgamento, e outros descem para obter mais informações sobre o caso. De modo geral, todas as informações, desde onde

O mundo dos jornalistas

comprar o sanduíche até as últimas notícias obtidas, são compartilhadas entre todos. O clima é de cordialidade, e muitos me perguntam o que estou fazendo ali. Em poucas palavras, explico o objetivo de meu trabalho e falo sobre a profissão de antropóloga. Dois repórteres já me conheciam porque eu os tinha encontrado a acompanhar o profissional de rádio dias antes. Muitos se oferecem para ajudar, caso eu precise de mais informações. A opinião unânime é de que aquele seria um bom dia para o meu trabalho. Tratava-se de uma *boa matéria*.

Enquanto esperam, os jornalistas se dividem em grupinhos e a conversa trata do plantão do fim de semana, dos chefes, com as devidas reclamações, e da roupa. Os repórteres que não são de televisão brincam com o terno do jornalista ou o penteado da colega. E ela mesma reclama da exigência de boa aparência.

Os comentários sobre a relação com os chefes demonstram também as opiniões sobre o padrão da chefia, que qualidades estão em jogo na profissão e como alcançá-las. Muitos relatam histórias de chefes histéricos, de convivência difícil, e quase todos concordam que eles são assim porque nunca foram repórteres, não têm essa experiência. Ou seja, para esses jornalistas, a prática é considerada essencial e deveria exigir que todos os profissionais passassem por todos os estágios, todas as etapas. Um bom profissional não deve queimar etapas, e *ser repórter* está na essência e na base da profissão.

Um jornalista comenta sobre o seu chefe com um colega:

> "*Imagina que ele mandou ligar daqui a cinco minutos para me dizer o que fazer. Não tem telefone aqui perto e é um sufoco para ligar. Aí ele me perguntou se tinha telefone perto para ele me ligar. Isso é que dá ter como chefe alguém que nunca foi repórter.*"

Outro assunto que vem à tona são os comentários e as fofocas sobre os colegas, principalmente casais de jornalistas. Quase todos garantem ser difícil conciliar trabalho com outras atividades e relações pessoais, e ainda acentuam o inconveniente de encontrar o marido ou a mulher cobrindo a mesma matéria.

Minha informante garante que ser mulher não lhe traz problemas na prática da profissão; ao contrário, até agora só lhe trouxe vantagens, porque a tratam muito melhor em qualquer lugar, mesmo na polícia. Eventualmente recebe uma cantada, mas não encara isso como um problema. E acha que em TV não há tanto preconceito.

O julgamento já começou. A equipe de TV desce para filmar a sala. A repórter fica conferindo seus dados com colegas também de TV e começa a escrever sua matéria. Mais tarde chega o motoqueiro com as instruções da chefia. Querem um *flash* ou matéria para o jornal. Ela desce para gravar. Repassa o texto para ver se decorou a abertura e retoca a maquiagem. Feita a matéria e gravado o *off*, prepara o texto que será anexado à fita e mandado para a redação. A instrução da chefia é que ela permaneça ali e faça outra matéria sobre o decorrer do julgamento, para o jornal das oito da noite.

A previsão é que o julgamento termine às duas da manhã. A repórter permanece no fórum até às 21 horas, quando, depois de fazer mais uma matéria, é substituída por outra equipe e volta para a redação. Depois de uma conversa rápida com a chefia, espera sua reportagem ir ao ar e vai para casa. Normalmente, depois do trabalho, por volta das 20 horas, janta em casa com o marido. Raramente sai durante a semana, devido ao cansaço. Nos fins de semana, é diferente: se não estiver de plantão, vai ao cinema, a um bar, sai com os amigos.

O mundo dos jornalistas

Cobertura de rádio

DEPOIS DE SEGUIR OS PASSOS de um repórter de jornal e de um repórter de TV, acompanho um jornalista de rádio. Desta vez é um homem de 30 anos, separado, com dois filhos pequenos, um de 6 anos e outro de 1 ano. Trabalha em jornalismo há quatro anos e no momento tem dois empregos: de manhã em uma assessoria de imprensa e à tarde atua como repórter de rádio. Combino encontrá-lo na emissora por volta de 13h30, horário em que começa a sua reportagem. Na assessoria, trabalha das 7h30 às 12h30, de onde, depois de almoçar, vai direto para a rádio.

Chego um pouco antes à redação, a tempo de assistir ao fim de uma reunião de jornalistas que discutem o reajuste salarial. Todos estão convencidos da defasagem salarial da categoria e formam uma comissão para conversar com os demais colegas e com o patrão. Logo depois, meu informante entra na redação, interessado em saber o que discutiram e o que ficou decidido. Falamos rapidamente e ele vai em busca de sua pauta para aquele dia.

O dia vai ser cheio, porque lhe destinaram três matérias. Uma se refere ao inquérito policial sobre a morte de um empresário carioca; a outra, a uma quadrilha de traficantes de tóxicos descoberta pela polícia; e a última é o acompanhamento da assembleia dos ferroviários, que decidirá se a classe entra em greve ou não. Ele dá uma lida na pauta, que contém informações adicionais sobre todas as matérias, vê os horários de cada uma, para poder se organizar, e fala com o chefe de reportagem sobre o que vai cobrir. Depois procura alguns números de telefone no catálogo e em seguida saímos, acompanhados de outro repórter, que pediu carona no carro para fazer sua matéria.

No caminho, ele explica ao motorista o trajeto, e conversa com o colega. Depois de comentarem as matérias que vão cobrir e o plantão do fim de semana que está próximo – é sexta-feira –, ele fala sobre meu trabalho. O clima entre os três é de bastante camaradagem e brincadeira. O motorista comenta seu trabalho da véspera, quando levou uma repórter para um show que acabou de madrugada.

O repórter afirma que acha ótimo ser jornalista e não tem vontade nenhuma de mudar de profissão; entretanto, confessa que gostaria de fazer um jornalismo diferente, mais documental. Mas acha que está na profissão certa. O problema principal, no seu entender, é o salário, muito ruim e incompatível com as exigências feitas a um jornalista. Este deve ser bem informado, ter versatilidade, mas trabalha com uma carga horária excessiva, o que dificulta uma boa realização profissional. Acaba tendo de arranjar outro emprego para conseguir uma renda mais razoável, como é o seu casso.

Ele fala sobre o seu dia de trabalho, que considera muito intenso. Acorda às 6 horas, toma café e vai para a assessoria, aonde chega entre 7h30 e 8 horas. Lá desempenha a função de assessor, faz *release* para a imprensa, prepara pauta, notas e organiza coletivas. É um trabalho bem menos dinâmico, salienta, sem pressa, muito mais tranquilo que o da rádio. Almoça no trabalho e vai para a emissora. Depois de pegar sua pauta, sai para fazer a apuração. A rádio tem noticiários de meia em meia hora, o que significa que deve produzir várias notas. Às 18h30 há um jornal mais longo e outro à noite, bem mais tarde. Acha que, apesar de o trabalho na rádio ser mais pesado, não há muita competição entre os repórteres, até porque cada um cobre uma área diferente. Lembra que isso não é comum no mercado de trabalho; ao contrário, está sempre ouvindo reclamações dos colegas sobre seus empregos. Normalmente trabalha até às 20h30, quase nunca sai mais cedo, assim como não costuma ficar além das 21 horas. Encerrado o trabalho, vai para casa ou para a casa da namorada. Depois do jantar, vai dormir por volta das 23 horas, cansado, enfatiza. Só costuma sair depois do trabalho na sexta-feira ou no fim de semana, quando vai a um bar com o pessoal da rádio ou se encontrar com amigos. Reclama que antes estava cursando a faculdade de ciências sociais e frequentava um curso de espanhol, mas foi obrigado a parar por falta de tempo. Da mesma forma, um de seus filhos, que mora com a mãe, o menor, ele quase não vê, só de quinze em quinze dias, às vezes até mais – como agora, que está há um mês sem vê-lo. Afirma que isso ocorre também por causa do relacionamento com a ex-mulher, que não é bom. Já a filha mais velha, ainda que também more com a mãe (ele foi casado duas vezes), permanece a maior parte do dia com a avó, que mora perto da casa dele.

O esquema de plantão de duas folgas para um de trabalho também contribui para a sua falta de tempo para outras atividades e relacionamentos. Ele afirma que gosta de viajar e, quando possível, sai do Rio nos fins de semana, a fim de relaxar. O repórter se questionava se devia ou não continuar com os dois empregos, pois a dupla jornada andava atrapalhando muito sua vida, provocando um afastamento seu da família e de outros relacionamentos.

O salário nos dois empregos é quase o mesmo, e, se tivesse que escolher, certamente optaria pela emissora de rádio, o que demonstra o envolvimento do jornalista com seu trabalho. Embora reconheça que a assessoria de imprensa lhe oferece uma ocupação mais tranquila, menos tensa e ansiosa, sua opção é pela rádio.

"Eu escolheria a rádio porque lá não tem marasmo, você se mantém informado, é mais interessante. Apesar do cansaço, da estafa."

Ele comenta que sua escolha estaria diretamente ligada à decisão do que chama de um "jornalista típico".

"O jornalista típico é aquele que é curioso, que está sempre correndo atrás, não é bobo, é esperto, investiga as coisas a fundo. É aquele que gostaria de estar no Kuwait a passeio na hora da invasão."

Chegamos à delegacia, para o repórter iniciar sua primeira reportagem do dia. Na entrada, encontra os colegas e já pede informações. Quer saber se há alguma novidade e o que está acontecendo. O delegado está ouvindo os intimados, depois falará com a imprensa. Com essas informações, procura um lugar para fazer um texto rápido e passar notícias para a emissora pelo rádio do carro. O rádio está com defeito. Depois de uma conversa com um funcionário da delegacia, liga de lá mesmo. Passa a nota e informa à chefia que ficará lá esperando por mais informações. Libera o carro, que pedirá novamente quando precisar.

Enquanto espera o delegado, conversa com os colegas de outras rádios, depois de me apresentar aos demais. Todos brincam sobre o tema da minha pesquisa e, antes mesmo que eu pergunte qualquer coisa, começam a contar os problemas da profissão. Para os jornalistas desse grupo, as maiores dificuldades que enfrentam para trabalhar são: o trânsito do Rio e o telefone. A maioria dos telefones públicos está com defeito; os outros, com problemas de todo tipo. Além disso, precisam muitas vezes de um local com um pouco de silêncio e nem sempre conseguem.

Outro assunto bastante frequente são as coberturas classificadas como "espetaculares" ou as reportagens em que os repórteres podem mostrar seu talento. E uma coisa é certa: não importa o que estiver acontecendo ou onde esteja fazendo sua apuração, um repórter não pode deixar de mandar notícias para o seu veículo; caso contrário, seria a maior falha de um jornalista, talvez um erro fatal.

Isso significa explorar todas as possibilidades do assunto, vasculhar tudo, apresentar um novo aspecto, mesmo que às vezes ele não pareça muito significativo. Aliada a essa produção de informações, está a capacidade de escrever rápido e dentro do espaço exigido. É o chamado *domínio do ofício*. Ser capaz de escrever uma coluna em uma hora sobre qualquer assunto.

Também faz parte desse ofício desenvolver um certo sentimento de familiaridade com todos os locais e acontecimentos, como demonstrou meu informante ao entrar na delegacia com desenvoltura e em clima de intimidade. Como o cosmopolita, o repórter se movimenta com facilidade e está à vontade nas situações mais inusitadas.

Tendo passado a matéria por telefone para a chefia em meio à conversa barulhenta da delegacia, ao som de outro telefone tocando e do rádio ligado, meu informante tenta saber se sua reportagem entrou no noticiário. Liga o rádio acoplado ao seu gravador e espera. A matéria não entrou. Já passa das 16 horas e ele acha que não poderá cobrir a segunda matéria, sobre a quadrilha de traficantes. Decide permanecer na delegacia à espera de mais informações. Torna a ligar para a redação a fim de saber novidades sobre a segunda pauta. Eles não têm notícias. O delegado dá entrevista para a imprensa, meu informante fica bem próximo e grava suas declarações. No final, conversa com os colegas de rádio, perguntando se ainda vão ficar na delegacia esperando outros envolvidos no caso, que podem chegar a qualquer momento. Acerta detalhes, troca dados com os colegas e resolve escrever uma matéria maior, agora com o depoimento do delegado, para entrar no jornal das 18h30. Novamente se evidencia a existência de alianças entre os pares; assim, as informações e muitas vezes os próprios textos são partilhados entre colegas, que ajudam e dão palpites, transmitindo a ideia de uma *cadeia de solidariedade*. Ele escreve a matéria, lê alto várias vezes para saber se está fluindo bem, modifica algumas coisas. A seu lado, um repórter de outra rádio faz o mesmo. Terminada a tarefa, procura um telefone mais tranquilo de onde possa passar a matéria e, através do jacaré[20], mandar a fala do delegado. Lembra-se de uma loja das proximidades cujo dono foi simpático e uns dias antes o deixou telefonar. Volta lá, apresenta-se ao proprietário, de cujo nome se recordou no caminho, e faz a ligação. Repete duas vezes, porque gaguejou em uma e, na outra, a gravação não ficou boa. Informa à chefia que está indo embora da delegacia para a assembleia dos ferroviários, marcada para as 18 horas. Durante todo o tempo em que esteve na delegacia, circularam por ali vários jornalistas de muitos órgãos de imprensa. Com alguns conversou sobre a matéria, o plantão e os planos para o fim de semana.

---

20 Conector utilizado pelo repórter para transmitir a matéria gravada por via telefônica. Ele tem fios e presilhas (jacarés), que se ligam aos terminais do telefone.

Chegamos à assembleia, realizada na Central do Brasil. No caminho, ele revela sua expectativa de que não seja muito demorada, que decidam logo pela greve ou não; afinal, é sexta-feira e ele não quer ficar até muito tarde na rádio. Ao ver a aglomeração, procura logo um membro do sindicato para colher as primeiras informações e saber sobre o andamento da assembleia. Anota os primeiros dados e espera o presidente do sindicato, que está discursando, descer do carro de som para gravar uma fala sua. Ele o entrevista junto de outros repórteres de televisão e jornal. O ferroviário informa que vão votar naquele momento se devem aguardar ou não a decisão nacional da categoria, a ser tomada no dia seguinte, contra ou a favor da greve. Depois de discutirem e avaliarem as propostas, os ferroviários ali reunidos decidem não entrar em greve naquela sexta-feira e realizar nova assembleia no dia seguinte. O profissional anota os dados da próxima assembleia, hora e local, e telefona para a emissora pedindo um carro. São 19h30.

Na redação conversa com o chefe sobre as matérias, fala com os colegas e, antes de começar a escrever sobre a assembleia, para que entre no próximo jornal, pega a fita do noticiário das 18h30, pois já soube que sua matéria foi ao ar. Depois de ouvi-la, começa a escrever a nota. Faz algumas alterações, reescreve e passa a nota para a chefia, acompanhada dos dados sobre a assembleia do dia seguinte, para que algum repórter escalado para o plantão possa cobrir. São quase 21 horas e ele está indeciso sobre seu programa de lazer: não sabe se vai para casa descansar ou se aproveita a folga do dia seguinte para "colocar as coisas em dia".

3
OS ETERNOS JORNALISTAS

Para traçar um perfil do jornalista mais velho e experiente, com mais de trinta anos de vivência na profissão, escolhi sete jornalistas, todos eles bem-sucedidos em suas carreiras, quase todos notórios por seu trabalho. Eis o que me pareceu mais importante e elemento-chave para a formação deste grupo de entrevistados: todos ainda trabalham como jornalistas em jornal ou televisão. Tenho a impressão de que, embora não fosse esta a minha pretensão inicial ao selecioná-los para ouvir seus depoimentos, formei um grupo que poderia ser chamado de *crème de la crème* da profissão. Muitos dos momentos importantes da história recente da imprensa brasileira estão ligados a vários desses veteranos. Por tudo isso, acredito que tais depoimentos enriquecem esta pesquisa e certamente poderiam merecer não apenas um capítulo, mas um trabalho à parte, na medida em que eles resumem e simbolizam a imprensa no Brasil hoje.

Muitos são tidos como modelos dentro da profissão, por isso é fundamental acompanhar suas trajetórias profissionais e perceber a dimensão do trabalho em suas vidas.

Considero importante comentar como consegui entrevistar esses sete ocupados jornalistas. Com dois deles eu já tinha algum contato, embora distante. Com os demais, o primeiro encontro foi justamente a entrevista. Devo salientar que nenhum deles estranhou o fato de eu desejar entrevistá-los sem conhecê-los; afinal, todos se consideram jornalistas notórios. A maioria foi bastante receptiva à ideia e à minha pesquisa. Não recebi negativas, assim como não me foi colocada nenhuma dificuldade imediata – o que não quer dizer que não tenha havido muitas. A questão problemática foi sempre o horário e a falta de tempo. Outro aspecto levantado foi qual seria a duração de nossa conversa. Foram muitos os contratempos, atrasos e imprevistos. Houve entrevista marcada mais de quatro vezes depois de dois "bolos". Apesar dos inconvenientes, valeu a espera. Todos, sem exceção, demonstraram prazer em contar um pouco de suas vidas e carreiras.

Em alguns casos, mantive meus informantes de certa forma anônimos, apresentando apenas suas iniciais e poucos dados que possibilitam identificá-los. Agora, não só dou seus nomes, como seus cargos e locais de trabalho. Faço isso por serem conhecidos demais do público e porque acredito que seus depoimentos são ricos e não os comprometem nem devassam suas intimidades.

Sérgio Augusto[21]

COM SÉRGIO AUGUSTO, repórter especial da *Folha de S.Paulo*, 48 anos, 30 como jornalista, a impressão que se tem em seu depoimento é que ele já nasceu jornalista, tal é seu vínculo e entusiasmo com a profissão. Ele recorda que desde pequeno só pensava em ser duas coisas na vida: motorneiro de bonde ou jornalista. E acha que essa *paixão* pelo jornalismo veio com o cinema e sua visão romântica dessa carreira. Aos 10 anos, Sérgio Augusto já fazia jornal com os amigos: era o *Sujeira da Imprensa*. Aos 16 anos, começou sua carreira como repórter no *Jornal Metropolitano*. Com 22 anos, já era editor do Segundo Caderno do *Correio da Manhã*, um jornal de grande prestígio, embora na época estivesse passando por uma crise econômica. Do *Correio da Manhã*, transferiu-se para o departamento de pesquisa do *Jornal do Brasil*, chefiado por Alberto Dines e cheio de cobras. Depois de trabalhar no Caderno B, em diversas revistas mensais e semanais, tornou-se um *free-lancer* assalariado da *Folha de S.Paulo*, onde estava desde 1981. É interessante notar que ele afirma não se considerar um jornalista típico: "Sou atípico em termos de carreira, tive muita sorte". Aliás, quase todos os entrevistados desse grupo de veteranos salientam que não são jornalistas típicos, ou assim não se consideram.

Jornalista típico, para o repórter especial da *Folha* e da sua época, é aquele que não fez curso de jornalismo; fez outra coisa,

---

21 Foi repórter da *Folha de S.Paulo* de 1981 a 1996. Hoje, escreve para o "Caderno 2", de *O Estado de S. Paulo*, e para a revista *Bravo*. Publicou dois livros: *Este mundo é um pandeiro* (Companhia das Letras, 1989) e *As penas do ofício: ensaios de jornalismo cultural* (Agir, 2007).

talvez alguns anos de direito, e é autodidata. Sérgio Augusto fez Faculdade de Filosofia na UFRJ, mas não seguiu o que considera a trilha típica, de quem começa na Geral, vai subindo no jornal e se setoriza. Para tal, deve-se ter talento, mérito e também fazer parte de uma panelinha, ou, na sua expressão, igrejinha.

Neste sentido, a trajetória do jornalista típico muitas vezes mata uma característica ou especialidade que um profissional possa ter. Hoje um redator geralmente ganha mais do que um repórter. E, como aponta o jornalista, um bom repórter não é necessariamente um bom redator, e acontecem desperdícios nessa área. Alguns jornais tentam resolver essa questão de alguma forma; há repórteres, especiais ou não, ganhando muito mais do que redatores ou editores e realizando o que fazem de melhor: a reportagem.

Ao relembrar seu início no jornalismo e repensar sua história profissional, Sérgio Augusto demonstra estar realizado e satisfeito com a opção que fez. Acha que a carreira foi muito importante em sua vida.

Conversando sobre os meios com os quais o jornalista pode trabalhar, ele se diz satisfeito de estar em jornal. Acha televisão "um horror" e não se sente seduzido pela rádio. Chega a se mostrar bastante arredio a todas as inovações tecnológicas, com as quais afirma ter incompatibilidade, embora hoje possua um computador ao qual está perfeitamente adaptado. Entretanto, observa: nunca trabalhou em redação com computadores. Quando eles chegaram, ele já estava trabalhando em casa como *free-lancer*.

"*Quando entro na redação da Folha, acho que parece um hospital. E que todos estão fazendo biópsia. Tudo branco, e um clima totalmente diferente. Na sucursal, eu gosto do clima, mas não consigo mais trabalhar lá. Não me habituo mais."*

Da mesma forma, sua opinião sobre a nova geração de jornalistas que está nas redações é bastante crítica. Como quase todos do grupo, acredita que um jornalista se faz na prática, ainda que seja necessário ser muito bem informado. A própria *Folha* é um exemplo de participação e influência de jovens e inexperientes jornalistas à frente das redações. O jornal, a seu ver, tem tanto foca que acaba cometendo erros de gente inexperiente e mal formada. Lembra que na sua época era diferente, pois se aprendia com os velhos jornalistas e se tinha um respeito enorme por eles, o que não acontece hoje. Os jovens não têm formação, estão sem base; ele não sabe dizer se essa diferença entre as gerações é só técnica: sente arrogância no que escrevem, além de improvisação.

"Os jovens estão vivendo aquela frase do cinema 'A sessão só começa quando você chega'. Só que a vida não começa quando a gente nasce. E isso tem o incentivo do jornal, um certo canibalismo. Acho que aprenderam errado a ideia do Andy Warhol de ser famoso por quinze minutos e pensam em ser famosos em quinze minutos. Acho que falta a essa geração a humildade que a minha teve."

Sua vida social e suas amizades incluem jornalistas – sua mulher foi jornalista –, mas eles não são a maioria. Frequenta uma turma de praia com os mesmos interesses culturais. E, mesmo sendo *free-lancer*, o trabalho ainda influencia muito o seu dia a dia. Pode se dar ao luxo de ir à praia durante a semana, mas também podem ligar da redação do jornal em um domingo pedindo

que escreva com urgência um texto sobre algum artista que morreu, como aconteceu na morte do ator Richard Burton.
Uma questão para a qual está atento é a ética do jornalista. Acha que a imprensa *marrom* e o jornalismo desonesto sempre estiveram bastante vinculados. E, a seu ver, Brasília incentivou isso, na medida em que há muitos jornalistas com dois empregos, um deles público. Acredita que se deve pensar na questão ética na hora de buscar um furo de reportagem.

"Sou de opinião que tem que se publicar tudo. Essa questão de se publicar ou não as informações no casso dos sequestros, por exemplo, é muito discutível."

E prossegue ressalvando que há ocasiões excepcionais, como um presidente doente, onde se faz um "acordo de cavalheiros". Na época da ditadura, ressalta o entrevistado, havia dois jornais: um que se ouvia e outro que era lido.

Pensando na questão da ética da profissão, peço que o jornalista trace um perfil do jornalista ideal. No seu entender, antes de mais nada ele deve gostar da profissão; isso demonstra que a ocupação merece atenção especial como um espaço de prazer e *paixão*.

Destaco aqui a noção de *paixão* associada à profissão por esse grupo. *Paixão* surge como sentimento da ordem do afetivo, do emocional. A carreira é emparelhada com o objeto de amor, e pode ser tomada como tal. Com ela se estabelece uma relação que sai da esfera do racional e da sobrevivência e atinge a dimensão do prazer. Para muitos, esse sentimento é uma exigência, ou mesmo condição, para um bom desempenho profissional. Se meus entrevistados vão lançar mão do termo *paixão*, utilizarei a

O mundo dos jornalistas

ideia de *adesão* para tentar compreender o envolvimento e a relação deles com a profissão. *Adesão* significaria, portanto, um envolvimento da profissão na vida da pessoa, de tal forma que levaria a uma sujeição de outros aspectos da vida. Ocasionaria uma *visão de mundo* particular, sem que um sentimento emocional fosse condição essencial.

Essa *adesão* envolve uma questão subjetiva da relação do jornalista com o trabalho e que não deve ser compreendida apenas pelo número de horas em que ele se ocupa dela. Há profissões com carga horária de trabalho bem maior. O que está em jogo é os jornalistas estarem vinculados ao trabalho além e independentemente do tempo gasto em exercício. O tempo é apenas uma amostra. Assim, também *paixão* e *adesão* merecem ser discutidas. Ainda que sejam planos diferentes, elas podem estar presentes simultaneamente. Já o contrário, haver *adesão* sem *paixão*, é menos frequente e pode ser percebido nos jornalistas que são mais críticos com seu ofício e não demonstram, portanto, um grande envolvimento afetivo, mesmo que suas vidas estejam invadidas pela profissão. Para alguns entrevistados, como veremos adiante, essa distinção era impossível anos atrás, período do jornalismo "romântico". Naquele momento, a *paixão* era tão marcante que se tornava elemento essencial na formação do jornalista.

O jornalista ideal também deve, segundo Sérgio Augusto, ter talento para escrever, ser bem formado e informado, ter lido muito. Precisa ter curiosidade e ser intransigente com princípios éticos. Acentua que se além disso tudo for rápido no serviço, melhor, mas prefere que seja lento se o resultado final for ótimo. E comenta como Paulo Francis (1930-1997) era super-rápido e Élio Gaspari também é.

Quando lhe pergunto se há algum jornalista que lhe parece estar perto desse ideal, ele diz acreditar que sim, e cita Janio de Freitas.

"Ele dá furo, faz reportagens excepcionais, eticamente é incorruptível, fez a reforma do Jornal do Brasil, fotografa bem, entende tudo de gráfica, conhece bem economia de jornal. É um jornalista completo, que conhece do porão ao sótão."

E, olhando para trás, outra mudança também ocorreu, além da tecnológica: a presença das mulheres nos jornais. Em sua época mulher só trabalhava em redação de jornal como secretária. Como repórter era muito raro, copidesque, então, nem pensar. Na sua opinião, aos poucos elas foram invadindo as redações; primeiro os suplementos, depois Geral e Economia. Na época da entrevista, as redações tinham muito mais mulheres do que homens. No esporte começaram a aparecer depois. Para Sérgio Augusto, a participação da mulher está ligada à exploração de mão de obra barata, como na Revolução Industrial.

Segundo o repórter da *Folha*, um aspecto recorrente entre os colegas é certos jornalistas ficarem se achando "os tais", cheios de empáfia por receberem convites, livros, discos, terem matéria assinada e, além disso, receberem um salário. "Se bobear, até pagam para trabalhar." A seu ver, essa sedução do jornalismo é mais eficaz nos jovens, embora vaidade não tenha idade. O profissional ganha mal, mas escreve e é conhecido, que é o que lhe interessa. O mais velho, parece-lhe, fica mais *blasé*, não faz tantas concessões para obter fama, pois isso não é tudo. O veterano está mais preocupado com dinheiro, não com notoriedade. Matéria assinada, para ele, é um detalhe, e os editores exploram o elã dos jovens pelo trabalho. Em alguns aspectos, os jornalistas veteranos se diferenciam dos jovens por seu ar *blasé*, em especial no que se refere à profissão. Ela já não o deslumbra ou seduz como na juventude. O jornalismo não está apenas envolto em fama, sucesso, notoriedade, pontos atraentes para os que se iniciam na carreira.

O que ficou claro ao longo deste depoimento é que a profissão tem papel fundamental na vida deste jornalista. Sua relação com o trabalho demonstra grande envolvimento, afetivo mesmo, mas ele também chega a afirmar que, devido aos anos de experiência profissional, sua vida não está mais tão impregnada da profissão.

Janio de Freitas[22]

JANIO DE FREITAS, 58 ANOS, trinta e sete de jornalismo, separado, dois filhos, talvez seja o jornalista mais premiado do grupo. E poucos acreditariam que ele nunca sonhou ser jornalista. Ao contrário, trabalhou durante muitos anos na aviação civil como piloto. Embora desde pequeno fizesse jornal, largou a aviação por contingências físicas. Um problema no joelho que não lhe permitiu prosseguir na carreira. Então, aos 22 anos, entrou para o *Diário Carioca*, na função de desenhista. De lá foi para o suplemento do

---

[22] Começou a trabalhar na *Folha de S.Paulo* em 1980. Desde 1983 tem uma coluna de política no jornal, sendo também membro de seu conselho editorial. Em 1987, ganhou o Prêmio Esso com uma reportagem sobre a ferrovia Norte-Sul.

jornal, onde começou a escrever, além de diagramar. Passou então para a reportagem, onde percorreu todas as áreas. Quando teve de decidir se continuava a ser piloto, e ia para a empresa de aviação Cruzeiro do Sul, ou se seguia o jornalismo, escolheu o último.

O atual colunista e membro do Conselho Editorial da *Folha de S.Paulo* fala do início de sua carreira. Acredita que a escolha pelo jornalismo se deveu a seu desenvolvimento muito veloz. Com um ano de jornal, já chefiava a melhor equipe da época. Depois foi redator da primeira página do jornal. Está convicto de que a vida o conduziu para o jornalismo meio por acaso, com exceção daquele momento de escolha. É importante notar a visão diferenciada de alguns entrevistados, que se mostram com as rédeas de sua vida nas mãos, donos de seu destino. Este entrevistado vai lançar mão do acaso para explicar sua carreira.

Janio de Freitas é considerado o pai, ou um dos pais, da reforma pela qual passou o *Jornal do* Brasil em 1959 e influenciou todos os jornais da época e os que surgiram mais tarde. A reforma profissional representa um marco da matéria da imprensa. Janio tinha sido mandado para a editoria de Esportes do JB, o que significava uma espécie de exílio. E foi justamente nessa seção que a reforma começou a ser gerada. Ele decidiu experimentar novidades e começou a pensar em soluções gráficas baseado no que tinha aprendido anteriormente no *Diário Carioca*. Tirar os fios, reformular as páginas e dar às fotos a dimensão que mereciam foram algumas das soluções encontradas por ele. Salienta que nesse período Esportes não ficava no mesmo andar do resto da redação, mas na oficina. Com a reforma, seu mentor intelectual se comprometera com o empresário a dobrar em um ano a tira-

O mundo dos jornalistas

gem do jornal. Ao fim desse período, o jornal alcançava uma tiragem seis vezes maior.

Interrogado se a reforma é a realização profissional de seu extenso currículo de que mais se orgulha, o jornalista mostrou-se comedido. Há outros aspectos da reforma de que ele de fato se orgulha, mas ressalta que em geral eles não são valorizados. Sempre se enfatizam as mudanças puramente gráficas.

"*Gosto de ter feito um plano de cargos, salários e funções. Foi o primeiro da imprensa brasileira, pelo qual os jornalistas passavam a ganhar um salário com o qual podiam viver sem ter emprego público.*"

Destaca também as modificações estruturais do jornal, como no caso do laboratório fotográfico, até então "imundo", com fotógrafos maltratados e ganhando uma miséria. Foram construídas novas instalações, contratadas pessoas qualificadas, e o horário de trabalho passou a ser respeitado.

Apesar dessas mudanças que revolucionaram o jornalismo, Janio de Freitas não demonstra grande entusiasmo pela profissão; ao contrário, mostra-se cético. Por isso, já pensou várias vezes em abandonar o jornalismo. O problema, a seu ver, não é largar a profissão, mas o que fazer sem ela. Ele lembra que deixou de lado o jornalismo durante o período em que trabalhou no Banco Nacional, elaborando projetos. Acentua que a dificuldade está em fazer um jornalismo independente, dificuldade geralmente atribuída ao meio, mas que na realidade se origina na própria empresa. Nela reside o desvio.

Janio retornou ao jornalismo aceitando mais um desafio: fazer com que o *Correio da Manhã* voltasse a ser o primeiro jornal, lugar que tinha perdido para o JB depois da reforma. E cumpriu o prometido. É sempre com distanciamento que ele narra suas aventuras jornalísticas, logo ele, considerado quase por unanimidade o jornalista-modelo ou ideal, justamente quando tantos afirmam que gostar da profissão ou ter *paixão* por ela é um dado fundamental para ser um bom profissional. A paixão é um elemento recorrente com estreita relação com a profissão. Ressalto outra vez que a paixão é compreendida como um sentimento de alto grau de intensidade, oposto à *razão*. Pode ser entendido aqui como sinônimo de entusiasmo e prazer. E para Janio, o que seria um jornalista ideal? Como o definiria?

"Acho que precisa primeiro não ter medo de enfrentar dificuldades, como perder emprego ou passar por apertos. Ele tem que ter coragem de viver. Preliminarmente. Deve ser independente. E chamo de independência ao que se chama objetividade no exercício da profissão, em relação aos dados e anotações. Ele deve ter uma formação cultural tão boa quanto possível, pois ela é necessária e dá instrumentos ao sujeito para perceber o sentido das coisas, o significado histórico dos fatos. E empenho, o que não existe no Brasil. O jornalismo exige um aprendizado constante. Todo dia tem um problema novo, que exige reflexão. É necessária uma grande dose de humildade."

Uma vez que o seu exercício da profissão demonstra um distanciamento racional, embora enfatize que trabalha com grande empenho, não causa surpresa a declaração de que seu sonho profissional é se aposentar. Mas deseja ter uma aposentadoria digna, que lhe permita viver sem preocupações. Por outro lado, não é taxativo ao se referir à profissão. Hoje trabalha intensamente e não sabe responder se isso lhe dá prazer ou mal-estar. Receber uma carta de um leitor é sempre motivo de satisfação.

O mundo dos jornalistas

Considera a hora de abrir a correspondência um bom momento, em que fica feliz, ainda que considere seus leitores muito generosos com ele.

Conversando sobre o jornalismo de hoje e a nova geração que está nas redações, Janio se revela cuidadoso, pois teme generalizar. A seu ver, as gerações são complexas e podem englobar vários tipos de profissionais. Acha que os novos jornalistas têm vontade, mas estão muito condicionados – mal condicionados – pela enorme dose de burocracia e falta de interesse de ordem técnica, de aprimoramento. Para o jornalista, há uma *ditadura da pauta* e as vítimas são, em primeiro lugar, os leitores e em seguida os repórteres, que trabalham sob um condicionamento excessivo. Percebe também uma diferença entre essa geração e a sua – a formação cultural. Era raro, no seu tempo, entrar em uma redação sem ver um ou dois lendo um livro ou conversando sobre alguma obra, literária ou não.

Ao lembrar-se de quando começou no jornalismo, Janio acha que quem está entrando nas redações agora terá outras condições de trabalho. O computador é uma das inovações. E ele garante que não tem nenhuma reserva quanto ao equipamento, mas dúvida, isto sim, de que se faça dele uma boa utilização.

No que diz respeito à carreira, vislumbro que o jornalismo define uma *visão de mundo*, apesar das pequenas e grandes diferenças entre os entrevistados, sejam de personalidade ou temperamento. A *paixão* vai entrar como um dado a mais, sem modificar a relação com o trabalho ou mesmo seu peso no decorrer dessas diversas trajetórias profissionais. Ainda que para muitos esse sentimento seja apresentado como essencial, surge como uma ênfase à *adesão* já existente. E ao terminar a entrevista com Janio de Freitas, resgato o pensamento do também jornalista Claudio Abramo sobre sua profissão, que ele preferiria definir como ocupação.

> "O jornalismo é um meio de ganhar a vida, um trabalho como outro qualquer; é uma maneira de viver, não é nenhuma cruzada. E por isso você faz um acordo consigo mesmo: o jornal não é seu, é do dono. [...] Para trabalhar em jornal é preciso fazer um armistício consigo próprio."

Zuenir Ventura[23]

UM DOS JORNALISTAS MAIS OCUPADOS, e por isso difícil de entrevistar, Zuenir Ventura é hoje, aos 59 anos e trinta e três de profissão, um profissional bem-sucedido. Sua mulher é jornalista, assim como um de seus dois filhos. Mas se o jornalismo agora está presente em sua vida também por laços familiares, nem sempre foi assim. Ele se iniciou tarde na profissão, aos 26 anos, já formado em letras neolatinas e trabalhando como professor, ocupação que nunca deixou de exercer ao longo desses anos e com a qual o jornalismo divide sua dedicação e entusiasmo. Começou a trabalhar no arquivo da *Tribuna da Imprensa* meio por acaso. Uma vez mais a questão do acaso surge nos depoimentos. Um ano depois, já estava na redação, onde trabalhou cerca de oito anos e de onde saiu para ser editor internacional do *Correio da Manhã*. Foi chefe de reportagem e de redação de várias

---

[23] Trabalhou no *Jornal do Brasil* até 1999, quando passou a escrever uma coluna para o "Segundo Caderno", de *O Globo*. Atualmente, escreve duas vezes por semana na página de Opinião do jornal. Autor de *Cidade partida* (Companhia das Letras, 1994), livro com o qual ganhou o Prêmio Jabuti de 1995 na categoria reportagem, em 2003 lançou *Chico Mendes – Crime e castigo* pela Companhia das Letras.

revistas nos anos 1960, período em que morou na França, fazendo um curso de aperfeiçoamento em jornalismo e atuando como correspondente. Nessa mesma época, realizou um projeto sobre a década, que mais tarde virou livro: *1968, o ano que não terminou*, que alcançou enorme sucesso e tornou sua vida, já agitada, pior ainda. Na época era editor especial do JB e professor da Escola de Comunicação e da Escola Superior de Desenho Industrial.

Quando para e pensa como resolveu ser jornalista, confessa que jamais imaginara que um dia pertenceria à profissão. Foi trabalhar em jornal aconselhado por um professor, com a recomendação de que a técnica iria lhe fazer bem. É na redação que lhe parece ter surgido sua vocação. E hoje garante que não consegue deixar de se ver como jornalista. Uma afirmação muito marcante para mim, interessada em entender quem são essas pessoas e como elas se definem. É como se a profissão, no caso o jornalismo, já se tornasse uma característica própria e, portanto, inseparável do seu eu. Meu interlocutor revela que entrou para o jornal em uma época pessoal muito rica, de muitas descobertas, que se completaram com sua ida para a França. Isso, naquele momento, significava descobrir e conquistar o mundo – especialmente para alguém criado no interior, por uma família de poucos recursos, onde o estudo, sob vários aspectos, era um luxo.

Zuenir aponta com segurança esse ano de vida na França como o mais rico de sua existência. Passou momentos inesquecíveis trabalhando como correspondente, relembra. Cobriu a ida de Kruschev e de Kennedy a Viena. E esse ano também significou para Zuenir o momento da opção pelo jornalismo, da certeza da profissão. É capaz de jurar que nunca pensou em largar a redação nesses trinta e três anos de experiência na área, assim como não conseguiu abandonar o magistério. Não vive sem os dois. E cita uma frase que disseram a seu respeito e que considera muito verdadeira: "Eu dou aula na redação e faço jornalismo na escola".

Para esse jornalista, parece óbvio que a profissão esteja ligada ao prazer, pois do contrário não encontraria razão para ter continuado nela – ou em ambas –, e enfatiza o fato de os jornais hoje terem horário, o que não acontecia antigamente. E rememora com saudades seu início de carreira. Era a época do jornalismo boêmio, sem horário nem disciplina, praticado com um jeito anárquico e muita liberdade. Não havia a imposição industrial de tempo e espaço. Era como se cada um fizesse o que queria. Olhando de forma mais cética para esse tempo, o jornalista afirma que a profissão era mais aviltada, sem independência e sem direitos. Qualquer jornalista tinha desconto de 50% em tudo, além de certas regalias e mordomias sem razão de ser. No entanto, dependia muito do Estado e, segundo Zuenir, como profissão era muito pior do que agora. Acha, porém, que havia mais prazer em exercê-la, como em toda relação amadora, mas ressalta que ainda hoje esse prazer é grande. É uma profissão que exige muita doação de si mesmo. Não é técnica; portanto, depende do estado de ânimo do profissional, e a subjetividade ainda predomina.

Outra característica citada mais uma vez pelos entrevistados como atributo ideal é a humildade. Na opinião de Zuenir, ela é a primeira condição exigida, seguida de uma visão abrangente de mundo. Salienta que essa visão pode determinar também um defeito geralmente atribuído aos jornalistas: a superficialidade. Acha a humildade essencial, porque a profissão de jornalista é implacável, requer renovação diária. Nela, o erro de hoje não pode ser justificado com o acerto de ontem.

"Posso hoje, com trinta e três anos de profissão, fazer um texto pior que o do meu filho. Ele pode apurar melhor. Ou seja, a experiência valerá em muitos pontos, mas não é garantia. Então é preciso ter humildade para se superar."

Convém ressaltar que essa declaração do jornalista destaca um ideal do grupo, em que vivência e experiência são fundamentais para esse profissional, que só se torna digno desse "título" com a prática. O que Zuenir teme é exatamente esse ar superior e *blasé* que muitos apresentam.

Para ele, essa ocupação impõe uma vida nada burocrática, na medida em que o jornalista se vê sem condições de pautar a própria vida. Ainda que existam hoje horários estabelecidos, a atividade distingue-se basicamente por ser imprevisível. Uma curiosidade permanente e fundamental é outro ponto que ele salienta como importante, ao lado de um sentido ético que talvez só outra profissão exija mais: a medicina.

"O médico trabalha com a vida e o jornalista com o destino, a reputação e a privacidade da pessoa. O jornalista não tem limites, só os éticos. É uma profissão que pode devassar muito a vida de alguém."

Não é a primeira vez que um jornalista faz compara a medicina com a sua profissão. A medicina, tida como uma das mais nobres profissões, exige igualmente sacrifício e dedicação exclusiva. Depois de construir seu modelo de jornalista "perfeito", Zuenir assegura não se achar em condições de apontar um colega.

Declara que seu ideal seria uma soma de vários pedaços de grandes jornalistas, como Ferreira Gullar, Elio Gaspari, Paulo Francis, Luiz Garcia e Alberto Dines. Embora seja um dos entrevistados que mantém mais contato com a nova geração de jornalistas, assume uma postura crítica em relação a ela. No seu entender, esses jovens sofreram um verdadeiro processo de lobotomização e ficaram sem memória, que a ditadura conseguiu apagar. É uma geração, segundo ele, individualista, narcisista e muito pragmática. Sem desprendimento nem sentido de doação. Acredita que quem entra para o jornalismo só para ganhar dinheiro não será um bom profissional. Mas, ao lado disso, aponta aspectos positivos, como a ausência de um caráter messiânico da profissão. Não querem com o jornalismo transformar o mundo, não acreditam nisso. Trata-se de uma geração bem menos engajada. Ele espera que com isso ela seja mais profissional e menos política, pois para ele o jornalismo não pode estar, não deve estar a serviço de nada. Ao contrário, tem de ser descompromissado *a priori*. Sua condição é ser testemunha de seu tempo, e, por conseguinte, deve ser independente. Mas, por reconhecer que a contaminação com o objeto torna-se inevitável, ele insiste na ideia de que é fundamental não haver engajamento prévio. O jornalista não pode ser militante.

"É como cobrir um Fla × Flu sendo torcedor de um dos dois times."

Para esse carioca, o jornalismo não delimitou suas amizades; ele tem amigos em todas as áreas, principalmente nas ligadas à cultura. E acredita que esse fato contribuiu muito para sua vida, pois considera a redação muito alienadora, por mais contraditório que possa parecer, porque deixa a pessoa presa ali. Naturalmente, não se refere aos repórteres, que vão para a rua, mas aos jornalistas que exercem as outras funções, sem se deslocarem da redação.

Luís Paulo Horta[24]

OCUPANDO NOS ANOS 1990 a função de editorialista do *Jornal do Brasil*, cargo que exerce há dez anos, Luís Paulo Horta dividiu durante muito tempo suas atenções entre o jornalismo e a música. Casado, com 47 anos e vinte e sete de profissão, embora sempre gostasse daquela forma de arte e tivesse pensado em ser músico, ao decidir por uma carreira optou pelo direito, curso que não chegou a terminar. O jornalismo o fisgou antes, pois enquanto estava na faculdade começou a trabalhar no *Correio da Manhã*, em sua fase de declínio, já sem a vibração de outrora. De lá partiu para o JB, onde entrou em 1964 e está até hoje. Luís Paulo, portanto, foge à regra da alta rotatividade na imprensa, em que mesmo jornalistas em início de carreira já trabalharam em pelo menos três órgãos diferentes. Permanecer esse tempo todo no JB acabou lhe propiciando a oportunidade de passar por várias áreas do jornal. Foi repórter, redator, assinou colunas de xadrez, de livros estrangeiros, de música. Trabalhou no departamento de pesquisa, criado em 1964 por Alberto Dines, onde permaneceu por cerca de dez anos. Para Luís Pau-

---

24 Trabalhou no *Jornal do Brasil* de 1964 até 1990, quando foi para *O Globo* – onde está até hoje ocupando as funções de editorialista e crítico de música. Em 2008, foi eleito para a Academia Brasileira de Letras.

período na Pesquisa foi muito importante e enriquecedor, pois havia um laboratório de texto e arquivo. Só mais tarde aceitou o convite para ser editorialista. Nesse meio-tempo, teve uma ocupação diferente, mais ligada à sua outra *paixão*, a música. Foi curador de música do Museu de Arte Moderna durante cinco anos.

Aos 20 anos, graças a um amigo do pai, o jornalista começou a trabalhar no *Correio da Manhã*. Ele destaca, como já fizeram outros entrevistados, a importância do acaso em sua vida, pois naquela época estudava para se tornar advogado. Mas foi adquirindo apego à escrita e um bom manejo do texto, e criando uma relação forte com jornal. Começou na reportagem de polícia, depois foi para a Geral, onde ficou um ano. Revela ter tido uma experiência longa e muito boa de redação. Depois, na Pesquisa do JB, teve a oportunidade de ensaiar o texto. E este era de todo tipo, inclusive matérias sobre personalidades famosas na iminência de morrer. Lá trabalhava com o que considera os melhores redatores, como Sérgio Augusto, Renato Machado, Raul Ryff, Argemiro Ferreira, Adauto Novaes, entre outros.

Olhando para trás e pensando nos muitos anos de jornalismo, sente-se realizado. Acha que fez a escolha certa, embora sem premeditação. Ressalta que teve a sorte de trabalhar no JB, onde cresceu profissionalmente em um ambiente criativo, com um excelente clima na redação, além de uma boa equipe não só em termos profissionais, mas humanos também. Depois foi para o Editorial, que a seu ver é uma experiência muito específica. No início, a adaptação foi difícil.

"Você tem que abrir mão de ser rebelde, e o jornalista é, por definição, um questionador. Na primeira etapa, parece uma camisa de força, *porque você é o intérprete da opinião do jornal. E fica com medo de perder o senso crítico. O primeiro ano foi difícil, um desafio. Além disso, é preciso ter um temperamento que abdique da matéria assinada.*"

O editorialista acha que é mais fácil trabalhar nesse setor se você tiver, como ele, uma afinidade com a linha do jornal, o que significa não ter uma linha dogmática e radical. No Editorial, é preciso trabalhar o texto com mais cuidado, coisa de que ele passou a gostar de fazer, e lhe trouxe a possibilidade de criar, de desenvolver a imaginação.

Quando pergunto se em algum momento pensou na possibilidade de largar a profissão ou de trocá-la por outra, ele assegura que não, apesar de sua forte ligação com a música. Não se sente frustrado por não ter sido músico. Gostou de ser jornalista e acha que a profissão tem uma responsabilidade social muito grande. Relembra o chamado "processo de abertura", de que os jornais e os jornalistas participaram, e que ele viveu intensamente no jornal. Foi uma época de modificações na imprensa e que provocou um verdadeiro *frisson* nas redações.

Por se sentir realizado como jornalista, afirma que não tem um sonho especial, apenas o de se aprimorar. Quer desenvolver e melhorar seu texto, e crê que esse processo é infinito. Comenta que, ao ler artigos de jornalistas antigos e clássicos, percebe ser esta também uma forma de arte. Com essa carreira, acrescenta, deu vazão a uma veia artística que possuía. Para ele, a idade não constitui problema; ao contrário, ela só enriquece, e cita Henry James e André Maurois como exemplos.

A capacidade de se interessar por tudo à sua volta é, para Luís Paulo Horta, uma das primeiras qualidades de que um jornalista precisa para ser competente. Ele deve olhar para as coisas como se as estivesse vendo pela primeira vez, e assim sempre, nunca perdendo a capacidade de se admirar. É o que ele denomina de "virgindade do olhar". O grande jornalista, na sua opinião, nunca perde essa característica. Aliada à curiosidade pelo tema, deve existir, no íntimo do profissional, a vontade de falar, de escrever sobre ele. Também é preciso haver um mínimo de formação, e as faculdades de jornalismo poderiam ajudar nisso, pois alguém só se transforma em jornalista com a prática e não ao encerrar seu curso. Estar preso a ideologias e preconceitos é, a seu ver, um ponto negativo para um bom profissional, pois não adianta ter vocação se o preconceito amarrá-lo. Essa limitação, que independe da idade, é uma forma de envelhecimento, que não permite ver que há sempre algo novo.

O entrevistado acha que não é um jornalista típico, sobretudo pelo fato de ser editorialista. E diz que seu estilo predileto é o do jornalismo inglês, bastante próximo do jornalismo moderno, com enorme capacidade para a objetividade, ao contrário dos estilos francês e italiano, carregados de emoção.

Falando sobre mudanças e transformações, ele comenta as inovações tecnológicas que chegaram aos jornais. Considera uma verdadeira revolução essa passagem da caneta e da mão para o computador, que, no entanto, tinha acontecido recentemente no JB. Houve com isso uma mudança no ritmo de trabalho, assim como na relação com o texto.

Mesmo sem muito contato com os jovens, por estar trabalhando em um setor bastante específico da redação, o jornalista salienta que eles se parecem muito. São entusiasmados, têm uma santa ingenuidade e vontade de mudar. Mas se pergunta qual será a capacidade dessa geração formada pela televisão em lugar do livro. Aponta um comentário feito pelo jornalista Augusto Nunes numa entrevista, afirmando nunca ter visto uma geração escrever tão mal. Há muita rotatividade nas redações, e os jovens precisam do treino de jornal, que não é algo abstrato, mas bastante concreto.

Para Luís Paulo, essa é uma profissão que afeta muito a vida de quem a exerce. A família em geral reclama, a mulher queria um marido que chegasse cedo... Ao lado disso, é uma ocupação que possibilita conhecer pessoas e viajar.

Embora ressalte que a maioria de seus amigos não é jornalista, acha que isso não ocorreu por acaso. Ao contrário, foi uma necessidade, pois na sua opinião o jornalista e o médico são dois tipos de profissional que falam de trabalho depois do trabalho. E tendo amigos de outras profissões pode-se absorver muitas áreas, trocar outras ideias. Enfatiza: "Se você colocar dois jornalistas juntos, eles certamente irão falar de jornal o tempo todo".

Esse comentário do entrevistado me trouxe à memória uma passagem do romance *A insustentável leveza do ser*, de Milan Kundera (1986, p. 194), em que ele aborda a relação entre os seres humanos e as profissões.

> *Se fosse possível classificar as pessoas por categorias, seria certamente a partir desses desejos profundos que as conduzem para esta ou aquela atividade que exercem durante a vida inteira. Um francês é diferente do outro. Mas todos os atores do mundo se parecem – em Paris, Praga e até mesmo no mais modesto teatro do interior. É ator aquele que aceita, desde a infância, expor sua vida a um público anônimo. Sem esse sentimento fundamental – que nada tem a ver com talento, que é algo mais profundo que o talento – não se pode ser ator. Da mesma maneira, o médico é aquele que aceita se ocupar*

de corpos humanos a vida inteira, e com todas as consequências. É esse acordo fundamental (não o talento ou a habilidade) que faz com que ele possa entrar numa sala de dissecação no primeiro ano e terminar o curso seis anos mais tarde.

Cada pessoa, a seu modo, estabelece uma relação com sua profissão, por mais infinitas que possam ser as modalidades dessa relação. Mas ao nos aproximarmos dos profissionais de jornalismo percebemos que há mais semelhanças que diferenças entre eles, os pontos em comum são mais fortes e as distinções, menores. Na medida em que o jornalismo é percebido por muitos como uma profissão de prestígio, ele vai poder ser utilizado como estratégia, possibilitando uma ascensão social e a obtenção de poder. Não está longe o tempo em que a carteirinha de jornalista abria as portas de vários *mundos* sociais, aqueles que poucas pessoas tinham ou têm acesso. E, como se pode depreender dos depoimentos, o desejo de ser jornalista está estreitamente ligado à ideia de poder, entendido aqui como capacidade de se impor e de influenciar a sociedade. Esse aspecto vai remeter à ideologia individualista, na qual o indivíduo é percebido como valor e seu destaque e sua singularidade serão medidos por sua capacidade de intervir na realidade. É recorrente a afirmativa que associa o jornalista à figura do transformador social. Ao lado disso, o sucesso virá como consequência, uma vez que ele é pessoal e não está embutido em uma classe social ou atrelado à renda financeira, ainda que possa estar relacionado com os dois fatores. Pode-se pertencer à elite sem ter sucesso, entendendo-se elite como a camada da sociedade com acesso a poder, riqueza e informações e cultura em muito maior escala que o restante da sociedade.

Newton Carlos[25]

SER JORNALISTA AOS 62 ANOS na ocasião da entrevista, com quarenta de profissão e trabalhando em um veículo por muitos considerado "de categoria inferior" são dados suficientes para destacar Newton Carlos como um profissional corajoso, que não aceitou os limites da idade e da tradição do jornalismo. Cassado quatro vezes, este profissional, que divide seu tempo entre um jornal – *Folha de S.Paulo* – e uma emissora de televisão – Rede Bandeirantes – é um autodidata por excelência. Não se formou em faculdade nenhuma e afirma que é jornalista "desde criancinha".

Para esse grupo seleto de profissionais, a televisão não é vista como o melhor veículo para o jornalista, e portanto o *status* dentro da profissão não estará ligado a ela. Ao contrário, para muitos é um veículo de "segunda categoria", intrinsecamente superficial. Visão bastante diferente dos jovens jornalistas, para quem a TV exerce forte poder de atração.

Nesse sentido, Newton Carlos é uma exceção, não só por trabalhar em televisão, como pelo fato de gostar do trabalho que faz e do veículo, não encarando esse dado como uma contradição.

Já em Macaé, onde nasceu, escrevia para o jornal *O Rebate*. Aos 12 anos, escreveu um artigo contra a mãe, que ele próprio distribuiu na esquina, conta com humor. Nunca teve outra atividade na vida, e acha que já nasceu jornalista. Veio para o Rio de Janeiro ainda jovem, quando começou como colaborador do *Correio da Manhã*. Depois fez crônica sobre bo-

---

25 É comentarista de política internacional da Rádio Bandeirantes e escreve para os jornais *Il Manifesto* (Itália), *Correio Braziliense* e *Folha de S.Paulo*. Desde 2010 é colunista da *Folha Online*.

xe para o *Diário Esportivo*. Mais tarde, na *Tribuna da Imprensa*, foi repórter e escreveu uma coluna de turismo. Tinha então 20 anos. Foi nesse jornal que teve sua primeira carteira assinada e uma relação de trabalho mais duradoura. Ali permaneceu até 1955, ano em que foi para a Europa e morou em Bruxelas, trabalhando como jornalista a convite da Confederação Internacional dos Sindicatos Livres. Foi quando tomou gosto pela política internacional. De volta ao Brasil, trabalhou na *Tribuna*, na *Manchete* e foi editor internacional do JB. Nos anos 1990 era colunista da *Folha de S.Paulo* e comentarista internacional da Rede Bandeirantes.

É um jornalista especializado, que conhece quase o mundo todo, tem vários livros publicados e participou de coberturas importantes, como a queda, exílio, volta e morte de Perón; a ascensão e queda de Allende; a invasão da República Dominicana; a eleição de Richard Nixon nos Estados Unidos; a Revolução Popular Peruana de 1968, entre outras. Dedicou-se muito à América Latina, tema de seu último livro. Atualmente dirige sua atenção para o Leste europeu. Afirma, sem esconder uma ponta de orgulho, que tudo que conseguiu na vida, entre outras coisas comprar uma casa, foi graças a uma máquina de escrever.

Quando pensa no futuro, na possibilidade de realizar algum sonho, sua vontade era escrever um livro contando sua experiência de jornalista, mas que fosse uma mistura de ficção e realidade. Além disso, gostaria de trabalhar menos, ter mais tempo para descansar e, se possível, conhecer lugares como a Austrália, onde nunca esteve.

Este jornalista afirma corroborar a expressão "um jornalista se conhece pela sola do sapato". Segundo Newton Carlos, esta seria uma das melhores definições desse profissional. Faz questão de dizer que só acredita em trabalho: o jornalista competente é "aquele que pesquisa com afinco, com vontade", por isso o grande futuro do jornalismo é a investigação. O bom profissional tem que se lançar sobre o assunto com garra, sem preconceitos, e se projetar pelo trabalho, não por artimanhas, o que exigiria, é claro, um ambiente e uma estrutura ideais, acrescenta. Refere-se ao chamado estilo "pé de boi", daquele que conversa, fala, pesquisa a fundo. Um bom exemplo desse estilo é o jornalista Clóvis Rossi, da *Folha de S.Paulo*. Tudo que ele afirma foi à custa de muito trabalho, e honesto, assegura Newton Carlos.

Confessa que, quando pensa no começo de sua carreira, sente saudades. Pura nostalgia daqueles tempos heroicos em que dormia na mesa da redação e era agredido pelo pessoal do sindicato. Era uma vida de sacrifício, e acha que em parte suas filhas não tiveram pai, porque trocava o dia pela noite. E, para os jornalistas daquela época, ser boêmio era quase condição essencial da profissão. A vida noturna era mais alegre, pacífica, e acabava se confundindo com a profissão. Nesse ponto, acha que a nova geração ganhou muito. Já entra com um certo conhecimento, de que ele não dispunha. Além disso, redação de jornal hoje fecha cedo, por volta das 21 horas. Mas salienta que a competição é muito mais dura agora do que no seu tempo.

Para Newton Carlos, há outras diferenças que separam essas gerações. A ética é um ponto importante. A seu ver, a nova geração se confunde menos com o poder. Antigamente era raro um jornalista que não tivesse um emprego público. O jornalismo se profissionalizou, antes era mais um biscate.

Acredita que a nova geração seja mais profissional, ou pelo menos tenta sê-lo.

Ao falar na nova geração e nas mudanças que o jornalismo sofreu, o principal tema é a presença dos computadores. Eles lhe despertam entusiasmo, a ponto de Newton Carlos dizer que são "o máximo", muito embora admita que resistiu a usá--los. Ainda guarda o espírito da redação antiga em suas lembranças e conta que recentemente perderam um texto seu na *Folha*, e ele disse para procurarem no meio dos papéis que estavam lá. Surpreso, ouviu como resposta do jovem repórter um "aqui não tem mais papel, não". Ele ri e comenta que a imagem que guarda da redação, que hoje quase não frequenta, é de barulho e papéis por todos os lados, o que não corresponde mais a uma redação moderna. Recordando seu início de carreira, declara-se orgulhoso de ter pertencido a uma geração que foi importante no jornalismo brasileiro, uma geração que, depois da ditadura de Vargas, viveu todo tipo de transformação. E afirma que, além desse orgulho, existe o do devotamento: a profissão sempre ocupou a maior parte de sua vida. Tanto assim que a maioria dos seus amigos eram colegas de trabalho, o que não ocorre mais.

A entrada no mercado de trabalho é uma questão polêmica. Segundo esses depoimentos, há quase uma trajetória "natural" para quem tem talento e competência, sem aparentemente se enfrentarem problemas no disputado mercado de trabalho. Muitos comentam que em suas épocas a competição era menos acirrada. O que pretendo salientar é que essa entrada na profissão não é "tão democrática" quanto se poderia supor. Há fatores de influência. Talento é importante, sem dúvida, assim como uma rede de relações ajuda, e muito. Não quero com isso afirmar que sempre é necessário alguém influente para que um jovem inicie a carreira, como também não quero enfatizar que competência e talento bastariam para o sucesso de um profissional. Na realidade, esses dois elementos se misturam e atuam com dimensões diferentes em cada situação. E não apenas na inserção no meio jornalístico.

Outro ponto que Newton Carlos considera uma novidade nesses anos todos é a presença feminina nos jornais. Até 1950 quase não havia mulher jornalista, era raríssimo. Depois de 1960, foi uma verdadeira invasão, e hoje mais de 50% dos jornalistas, segundo ele, são mulheres. E comenta que elas têm capacidade para ocupar qualquer área do jornalismo. A seu ver, essa é uma profissão para ambos os sexos, embora Newton acredite ainda haver alguma discriminação. Na sua opinião, ela se localiza em editorias como Esportes, onde ainda é rara a presença feminina.

Cícero Sandroni[26]

DE TODOS OS ENTREVISTADOS, Cícero Sandroni, então com 55 anos, 33 de profissão, é o único que chegou a fazer Faculdade de Jornalismo, na PUC-RJ, mas não a terminou. Esse pai de cinco filhos afirma que trabalhou em quase toda a imprensa nesses seus mais de trinta anos na área. Esteve no *Correio da Manhã*, *O Globo*, *Diário de Notícias*, *O*

---

26 Editor da *Tribuna da Imprensa* em 1990, cinco anos depois assumiu as editorias de Cultura e Opinião do *Jornal do Commercio*, onde voltou a trabalhar entre 2000 e 2003 como diretor-adjunto. Em 2003, foi eleito para a Academia Brasileira de Letras, da qual foi também presidente. Escreveu os seguintes livros: *Austregésilo de Athayde* (Agir, 1998), *50 anos de O Dia, história do jornal* (O Dia, 2002) e *O peixe de Amarna* (Record, 2003).

Cruzeiro, *Tribuna da Imprensa*, *Manchete*, *Jornal do Brasil*, *Última Hora* e *Jornal do País*. Era colaborador da *Tribuna*, onde foi funcionário até há pouco tempo.

Pelo que se lembra, Cícero sempre pensou em ser jornalista. Fazia jornal em casa e no colégio. Entrou para o *Correio da Manhã* em 1956, depois de um estágio na *Tribuna*. Tinha então 21 anos e passou de colaborador a repórter, e depois a chefe de reportagem. Saiu de lá para trabalhar em *O Globo*. Lembra que seu começo de carreira coincidiu com uma época de grande renovação no jornalismo. Começou a trabalhar em jornal sem diagramador, e toda essa experiência com jornalismo o entusiasmou muito. Além disso, havia um ambiente intelectual muito bom. O redator-chefe do *Correio* era Antonio Callado, e no jornal trabalhavam também Luiz Bahia, Franklin de Oliveira e José Condé, entre outros. Era um ambiente boêmio, aspecto muito cultivado entre a classe. No período do governo Juscelino Kubitschek, o *Correio da Manhã* viveu uma intensa ebulição. Era o jornal da inteligência brasileira, símbolo de um período de grande descoberta do jornalismo. Ainda que estivesse estudando na Escola de Administração Pública, seu interesse já estava mais voltado, como diz, para o *Mundo do Jornal* onde não sentia a hora passar.

Para Cícero Sandroni, a redação de um jornal e tudo que envolve esse tipo de trabalho é uma experiência que só um jornalista pode entender – essa "fábrica de notícias", como ele chama, um lugar que considera interessante, estimulante e onde se sente bem. Faz um aparte para dizer que gosta de redação de jornal pequeno, ou melhor, "à antiga", sem computadores e inovações tecnológicas, com as quais não sabe li-

O mundo dos jornalistas

dar. Concorda que os jornais têm de escolher o melhor método e o mais moderno, se for o caso, mas acha que com isso os jornais mudaram muito. Deixaram de ser um lugar de convívio, onde as pessoas se desenvolviam culturalmente. Hoje um jornal é uma empresa, e o dono, em busca de um bom produto, exige muito do jornalista. Cumprindo um horário rígido, o jornalista está mais comprometido com o seu salário. Meu entrevistado não quer qualificar essas duas épocas e estilos. Não os considera nem bons nem ruins, apenas diferentes. A seu ver, não há mais tempo para conversar e conviver com os mais experientes.

"*Antes você ia à Pesquisa e tinha alguém ali que era uma enciclopédia ambulante. Agora a relação é toda com o terminal e com o chefe imediato. Falta o clima. E assim se perde* a alma do jornal." (grifo meu)

Cícero Sandroni afirma que ao longo desses anos todos, embora não tenha trabalhado só em jornal, não se desiludiu. Sempre foi e será jornalista. E ainda acalenta o sonho de fazer com um grupo de jornalistas uma revista ou semanário independente, mas não alternativo. Um jornal profissional, feito e dirigido por jornalistas.

Para ele, o jornalista ideal deve, antes e acima de tudo, ser independente, o que acha muito difícil atingir. Além disso, deve ter qualidades pessoais e ser bem pago. Estas seriam as precondições. Ele deve ser bem informado e bem formado, com muitas horas de leitura. Outros requisitos que cita: ser trabalhador, competente e, é claro, escrever bem. Quem, a seu ver, estaria mais perto desse ideal é Janio de Freitas. Da nova geração, conhece pouco para apontar alguém.

105

Aliás, ele não vê com entusiasmo os jovens jornalistas. Acredita que sofreram uma "paulofrancisação". Na sua opinião, Paulo Francis, que escrevia com graça e inteligência, marcou a formação de um tipo de jornalista. E eles acabam escrevendo com ligeireza, leviandade e subcultura. Acentua que os textos resultam para ele muito pouco atraentes, tanto que às vezes nem os considera verdadeiro jornalismo.

Ao comparar os períodos antigo e moderno na profissão e o papel do jornalista, diz reconhecer que antes a ética era levada menos em consideração. Todo jornalista tinha emprego público, isso porque era uma tradição o jornal pagar mal. O veículo não passava de um trampolim para o indivíduo se tornar político, funcionário público ou escritor. Hoje, o jornal-empresa exige da maioria dos jornalistas dedicação exclusiva. Até porque é um emprego que supõe muito envolvimento pessoal. No seu tempo, salienta, não se trabalhava nos fins de semana.

Por tudo isso, acredita que quem vai trabalhar em jornal precisa gostar muito da profissão, ter prazer em exercê-la e talento para sua prática; se for só para ganhar a vida, há outras profissões com remunerações bem mais gratificantes. Além disso, em poucos anos as pessoas "estão acabadas", observa Cícero. Ele diz que se trata de uma atividade que desperta *paixão*, o que considera fundamental em qualquer profissão.

E a *paixão* que, de certa forma, a ocupação a seu ver favorece o trabalho das mulheres na área; nesse sentido não há discriminação; ao contrário, é uma profissão de mulher, na medida em que exige também abnegação e entrega, qualidades muito femininas, segundo ele.

Mais uma vez emprega-se o termo "invasão" para se referir à presença das mulheres nas redações. Cícero Sandroni enfatiza, ainda, que é raro encontrar mulheres em cargos de chefia ou em Esportes. Para compensar, na reportagem as mulheres estão em maioria, e ele supõe haver duas razões para isso: o fato de a mulher se esforçar mais, ser mais dedicada, e de seu salário ser geralmente menor. E brinca: "Se eu tivesse um jornal, só colocava mulher nele".

Ainda que não esteja ligado ao jornalismo de forma intensa, sua relação com a profissão, pelo que se depreende de seu depoimento, não parece esmaecida. Ao contrário, o jornalismo ainda faz parte da sua vida e de seu sonho. O sonho de ter um jornal.

Moacyr Werneck de Castro[27]

O MAIS VELHO DOS ENTREVISTADOS, e portanto aquele com mais vivência como jornalista, Moacyr Werneck de Castro está em jornal desde os 19 anos. São mais de cinquenta anos de profissão. Ele acompanhou de perto todas as mudanças sofridas pela imprensa no Brasil. E hoje, com vasto e extenso currículo profissional, que inclui passagens pela imprensa comunista e pelo *Última Hora* de Samuel Wainer, acha que jornalismo é um trabalho muito estressante, ideal para jovens.

Moacyr se formou em direito, embora afirme que sua vocação sempre foi o jornalismo. Começou a trabalhar na revista *Rumo* em 1934, uma publicação de vanguarda e de esquerda. Desde menino gostava de escrever e fazia um jornal que circula-

---

[27] A partir da década de 1990, colaborou esporadicamente com a imprensa, trabalhou como tradutor e escreveu vários livros, entre eles: O *libertador – A vida de Simon Bolívar* (1989), *Mário de Andrade – Exílio no Rio* (1989), *A ponte dos suspiros* (1990) publicados pela Rocco, e o autobiográfico *Europa 1935* (2000), pela Record.

va de mão em mão na família. Ressalte-se que na época ele não pensava em estudar nem existia faculdade de jornalismo. A motivação principal era o prazer. Antes de entrar para o *Última Hora*, em 1957, sempre esteve ligado à imprensa comunista, pois foi durante muito tempo membro e militante do partido. Está convencido de que só com a ida para o UH é que começa sua experiência verdadeiramente jornalística.

"Antes era uma experiência diferente, a oficina era assaltada pela polícia. Um trabalho de alto risco e grande militância."

Trabalhou durante treze anos nesse jornal, onde, afirma, aprendeu muito. Quando começou a trabalhar lá, o diário já tinha passado sua pior fase, de falência, e estava se recuperando. Era um jornal popular, inovador, que lhe proporcionou uma experiência muito rica. No UH trabalhou em várias funções. Começou como copidesque, depois redator; escreveu editoriais, foi redator-chefe e, em 1964, diretor responsável, função que não existe mais, assegura. Nessa época, Samuel Wainer estava exilado e dirigia o jornal à distância. O UH circulava em várias regiões e no Rio tinha duas edições. O pessoal trabalhava em turnos.

"Tinha a turma dos 'leiteiros', que chegava às três da manhã e recozinhava o vespertino. Eu saía do jornal às 21 horas, com a edição pronta. Às 5h30 da manhã, me telefonava o editor do vespertino, para discutir os problemas e as manchetes."

Rememora a experiência do UH com emoção e prazer, mas não se esquece de contar que o jornal lhe deixou como herança uma úlcera nervosa, que só ficou curada com a sua saída.

O mundo dos jornalistas

Garante que a sua motivação na época era o trabalho. A convivência era boa, fez grandes amigos. Foi um período de muito movimento e agitação política, acentua. De lá saiu para um ambiente de trabalho e uma atividade totalmente opostos aos da UH: a *Enciclopédia Britânica*, onde o serviço era tranquilo, ensinou-lhe muito e, segundo seu depoimento, "não te suga o sangue, como o jornal".

Não causa surpresa ao afirmar que seu jornalista ideal era Samuel Wainer, homem dotado de agudeza e inteligência, que se cercou de gente letrada. Acrescenta, sobre seu ex-diretor, que ele era um autodidata, falava três línguas, tinha muita vivacidade e um gosto fanático por fazer jornal; enfim, um diretor-proprietário que era jornalista. E obcecado por sua missão de informar, complementa.

Com as palavras de Werneck de Castro ao apontar Samuel Wainer com jornalista ideal, evoco uma frase do livro deste último que expressa bem sua relação com o jornal e o trabalho: "O jornal era a minha vida".

Meu interlocutor não encontra na atualidade nada que corresponda a esse modelo. A seu ver, os jornais hoje são empresas e seus donos não são jornalistas. Tudo se transformou, há computadores etc., mas Moacyr salienta não considerar essa mudança nem pior nem melhor. Acha apenas que o caráter do jornalismo é que se modificou. Enfatiza que não tem a intenção de ser crítico nem saudosista. Assegura que os jornais continuam sendo "máquinas de triturar", como sempre foram. Os tempos atuais lhe trazem certa dúvida. Não sabe se isso é resultado de ter vivido uma época em que os jornalistas aprendiam tudo na prática e demonstravam uma paixão muito grande. Uma época em que jornalista até podia escrever mal, desde que apurasse tudo.

Ao longo de sua vida, exerceu várias atividades, todas ligadas à cultura, sem nunca se afastar totalmente do jornalismo. Sempre achou o jornalista um cientista social; eles até se servem de instrumentos parecidos, como a entrevista, enfatiza.

Quando convidado a opinar sobre a nova geração de jornalistas, Moacyr Werneck afirma não ter muito contato com eles, já que não vai mais às redações e jornais, pois escreve seus artigos em casa. Mas ressalta que dá muitas entrevistas para futuros jornalistas – estudantes de comunicação – que vão ouvi-lo com frequência. De modo geral, percebe neles níveis desiguais: há uns muito bons, outros muito ruins. O JB, a seu ver, tem uma excelente equipe de jornalistas jovens, cultos e até mesmo sofisticados demais.

Moacyr Werneck traz em si um pouco das diferentes épocas em que exerceu o jornalismo. Revela muito da *paixão* característica da época do jornalismo romântico e, ao mesmo tempo, mantém um distanciamento quando analisa todo esse longo período.

Os veteranos

ESSE GRUPO ESTUDADO TEM UMA IDENTIDADE comum que vai além do fato de seus integrantes terem escolhido a mesma profissão. Os pontos de vista a respeito do significado da carreira em suas vida, de sua relação com ela e da forma como permanecem bastante envolvidos após tantos anos de exercício demonstram bem isso. Não pretendo apagar características particulares ou colocar de lado singularidades pessoais. Entretanto, em seus depoimentos, percebe-se o

O mundo dos jornalistas

quanto a profissão é fundamental em suas trajetórias e como ela exerceu influêcia sobre um *estilo de vida*. De uma maneira ou de outra, todos continuam sendo jornalistas e se orgulham de sê-lo. Se seus relacionamentos não são apenas com jornalistas, isso denota que houve um movimento para além dos "muros" dessa ocupação.

Os conceitos deles sobre o que seja o jornalista ideal falam da importância da prática na formação do profissional, aliada a um empenho pessoal e a uma visão ética do trabalho.

Outro ponto comum é a relação entre jornalismo e ética. Todos destacam que o verdadeiro profissional deve ter princípios éticos que norteiem sua conduta.

Para os veteranos, os jovens jornalistas dos tempos atuais ainda têm muito o que aprender, pois se mostram seduzidos pelo "falso" poder da profissão e encantados com a possibilidade de, com ela, adquirirem notoriedade.

O papel político dos jornalistas como agentes de transformação social é outro dado presente nos depoimentos. Ainda que muitos deixem claro que o poder e a força tanto do jornalista quanto da imprensa são restritos, e dependem dos acontecimentos, nenhum deles nega o fato de que existem. E acreditam que em muitos casos a ilusão de poder é um elemento de forte atração para novos profissionais.

Pode-se notar, pelos depoimentos, como muitos jornalistas tiveram um papel político e uma atuação marcante na vida social para além dos prédios dos jornais para os quais trabalhavam. Vários militaram na esquerda e, ainda que hoje não se apresentem como radicais, comentam que durante muito tempo jornalista foi sinônimo de agitador, provocador e de esquerdista. Hoje quase todos afirmam que o poder de questionamento ainda é parte essencial da profissão, mas enfatizam que é preciso não cair em radicalismos e evitar tomar partido antes de conhecer bem os fatos. É preciso saber olhar a realidade sem preconceitos ou *parti pris*.

Percebe-se que a vida dos jornalistas está ligada ao processo histórico que envolve a prática da profissão. Ou seja, suas histórias de vida também estão inseridas no processo e, ainda que nem todos digam isso claramente, eles são atores da cena. Não é possível separar suas vivências do contexto do país. Há uma relação estreita entre elas.

Acho necessário salientar mais uma vez que esse grupo de entrevistados que reuni pertence não apenas a uma elite do jornalismo, mas também a uma elite da sociedade brasileira. São pessoas famosas, notórias por sua profissão, que têm prestígio, algumas mais, outras menos poder, que estão bem situadas financeiramente e todas são profissionalmente bem-sucedidas. Alguns tiveram uma trajetória afetada por muitas mudanças promovidas pela carreira jornalística. Mudança de cidade, de classe econômica, de nível social e intelectual. A profissão possibilitou, como muitos afirmaram, que construíssem uma vida intelectualmente rica, com amigos em diversas áreas e na qual as viagens para o exterior não foram raras. Da mesma forma, seu estilo de vida explicita bem essa situação de *status* e elite. Todos residem na zona sul do Rio de Janeiro, seja em grandes apartamentos, vários deles luxuosamente mobiliados, seja em casas em bairros residenciais, com mais de um empregado. Para "os eternos jornalistas" a profissão representou um instrumento para a obtenção de sucesso.

4
OS JOVENS JORNALISTAS

DEPOIS DE ANALISAR OS JORNALISTAS MAIS VELHOS, detenho-me agora no universo dos jovens profissionais. Ao longo de quase três anos de pesquisa, fiz cerca de cinquenta entrevistas, trinta das quais jornalistas na faixa dos 24 aos 38 anos. Foram vinte e duas mulheres e oito homens, que tinham entre dois e dezesseis anos de profissão. Desses trinta profissionais, dezessete trabalhavam em jornal, três em rádio, cinco em televisão e cinco em revista.

Os entrevistados pertencem ao universo de camadas médias urbanas e todos residem e trabalham no Rio de Janeiro. Considerando "camadas médias" algo mais abrangente e complexo do que meramente a classe social, é possível encontrar semelhanças entre os indivíduos desse grupo. Eles têm visão de mundo e estilo de vida particulares. Busco aqui saber se é possível falar em uma identidade de jornalista.

Meus informantes têm uma rede de relações marcantemente influenciada pela profissão, o que já aponta para a ideia de rede (*network*) como um resultado de escolhas e opções. Não quero dizer com isso que os laços de parentesco sejam pouco significativos ou que as relações de amizade se resumam à esfera do trabalho.

Assim como para o grupo de jornalistas veteranos, a profissão será fundamental na vida deste grupo dos jovens, se fazendo presente em todos os instantes de seus depoimentos como um elemento definidor de suas identidades; na maioria das vezes, trata-se do principal papel entre os vários que desempenham.

Oito dos trinta entrevistados não são do Rio, tendo vindo do interior ou de outros Estados para estudar ou trabalhar como jornalista. Alguns comentam sobre a dificuldade de exercer a profissão em cidades pequenas, onde quase não há emissoras de rádio e poucos são os jornais. A mudança para o Rio de Janeiro seria a busca da realização profissional.

Esse deslocamento citado pelos jovens de outras cidades também está presente em toda a categoria profissional, ainda que de outra forma. O jornalismo é uma ocupação que leva seu profissional a manter contato com diversos domínios da vida urbana, exigindo dele conhecimento dos códigos sociais. Um profissional comentou que ao mudar para outra cidade suas dificuldades para realizar uma boa reportagem triplicaram. Ele não conhecia o nome das ruas, não localizava os bairros na hierarquia social, não conhecia os políticos da região, sem falar que não sabia identificar personalidades e autoridades para depois informar o fotógrafo. Um pouco como um antropólogo, ele teve de transformar a geografia daquela cidade de estranha e exótica em familiar. Faz questão de ressaltar que, por causa de seu trabalho

O mundo dos jornalistas

como jornalista, passou a conhecer a cidade muito melhor do que a maioria de seus habitantes.

Além do conhecimento de sua área de trabalho, exige-se do jornalista, principalmente dos que trabalham em editorias como Geral e Cidade, entrar em contato com áreas marginais da vida urbana, o que supõe correr riscos. Isso inclui acompanhar a polícia em perseguições a bandidos, obter informações de criminosos ou indivíduos que levam uma vida não só à margem da sociedade como também clandestina. Com esses dados, quero demonstrar que o risco está presente no exercício da carreira jornalística. Há muitas situações em que o profissional correrá perigo, podendo inclusive ser identificado como inimigo pelos grupos marginais. A pessoa que cruza a barreira – portanto polui – estará sempre incorrendo em erro aos olhos da sociedade. O grupo social define linhas de estrutura cósmica ou social, e a poluição será um evento de ocorrência pouco comum, significando que o indivíduo rompeu alguma norma ou cruzou alguma linha indevida. O desvio exporá alguém ao perigo.

Mas se o jornalista vai lidar com o risco, isso não quer dizer que a categoria se perceba como marginal. Ao contrário, para meus informantes esta é uma profissão que goza de prestígio social. Ainda que alguns discordem dessa noção, ressaltam que ela existe, embora esteja presente não apenas nessa categoria profissional. Com relação a isso, vale destacar uma pesquisa realizada em 1991 pela revista *Imprensa* e o Instituto Vox Populi em todo o Brasil sobre a imagem dos jornalistas. Entre as várias questões abordadas, destaco a que trata da função desse profissional. Para 61% dos entrevistados, é muito importante; para 37,8%, é importante; e apenas para 1,2% não é importante. Da mesma forma, quando se pergunta que reação o entrevistado teria se um filho decidisse ser jornalista: 18,2% afirmaram que ficariam muito satisfeitos e 40% ficariam satisfeitos. O restante dos entrevistados não soube dizer como se sentiria.

Profissão: jornalista

A PROFISSÃO É UM ELEMENTO FUNDAMENTAL na vida de meus informantes. Ela tem grande importância e espaço em suas trajetórias. Ainda que alguns demonstrem decepção ou pensem em trocar de profissão, a maioria acredita ter um vínculo afetivo com o trabalho e acha difícil sair dele.

Mas mesmo os que gostam da profissão citam uma série de problemas, entre eles o baixo salário e a extensa carga horária. Aliada a isso, há uma grande dose de prazer no seu exercício. São muitos os que permanecem ligados ao trabalho 24 horas por dia, independentemente de estarem ou não na redação, o que é inerente à profissão, já que o jornal pode estar sempre em contato com um empregado seu, quando necessário. Eles se sentem elementos essenciais e de muita responsabilidade em uma sociedade. Característica que os une aos "eternos jornalistas" atentos ao papel social da profissão. Eles informam, e sabem que isto tem um preço, que é, como já destaquei antes, não ser dono do seu tempo, trabalhar nos fins de semana e feriados e correr o risco de ter as planejadas férias suspensas em virtude de algum acontecimento "maior" que os obrigue a abdicar delas.

Por outro lado, nota-se que inevitavelmente uma profissão que exija esse nível de empenho e dedicação dê algo em troca, para contrabalançar os muitos problemas e continuar mantendo

O mundo dos jornalistas

e atraindo profissionais. Vários entrevistados salientam que, apesar do desgaste e do corre-corre diário, a carreira é gratificante não só pela sempre enfatizada responsabilidade social como pelas relações que ela possibilita. Um repórter lida com pessoas dos mais diferentes níveis sociais e econômicos. Ele é colocado literalmente na rua e precisa estar preparado para esse choque. Porque, segundo também esse grupo, só se é jornalista com a prática. É ela que ensina a resolver os imprevistos e problemas que surgem, é com ela que se aprende e cresce na profissão.
Para R. P., da editoria de Economia do *Jornal do Brasil*, 33 anos,

"jornalismo é empolgante. Eu acho que ele me deu mais do que eu esperava. Esperava, do ponto de vista profissional, que eu pudesse fazer um trabalho no qual acredito e que não ferisse meus posicionamentos éticos. Trabalho em que eu acredito e que não me envergonha. Aliás, me orgulho dele".

A relação com a profissão é, ao meu ver, mais um elemento que permite caracterizar esse universo como individualista. Sem dúvida, a ênfase na profissão remete à ideia de Gilberto Velho, de que experiências significativas podem gerar "fronteiras simbólicas" que definem identidades. Acredito que a experiência em redação, assim como a vivência como jornalista, possibilitou a esse grupo criar uma *identidade comum*.

É importante destacar que há diversidade de *ethos* no interior do que chamamos de camadas médias, por ser uma definição bastante abrangente. Nesse caso, utilizarei o conceito de *network*, que significa *rede de relações* estabelecida pelo indivíduo ou grupo em questão. O *network* se baseia em laços criados sem escolha, determinados socialmente, como os de família e parentesco; e os resultantes de liberdade e opção. No casso dos jornalistas desta pesquisa, a ênfase dada às relações sociais vai privilegiar, através de seus depoimentos, a escolha pessoal.

Esse sentimento em relação ao trabalho, essa *adesão* são expressos no depoimento dos entrevistados. Até mesmo aqueles que não se sentem realizados ou satisfeitos com o trabalho dizem que isso decorre do fato de o trabalho não estar sendo um "objeto de prazer", de realização. Uma "boa" profissão implicaria *adesão* a ela, o que geraria um *estilo de vida* e uma visão *de mundo* próprios.

Em uma rápida introdução à profissão de jornalista já se percebe, pelos depoimentos desses trinta profissionais, que suas relações com a carreira são repletas de nuances, o que impossibilita uma homogeneização. Por outro lado, todos são categóricos em apontar o grande número de problemas e dificuldades que enfrentam no exercício da profissão, o que faz com que essa relação vá desde um envolvimento afetivo e emocionado, carregado de *paixão*, até outro mais cético e descrente dos prazeres e do sucesso desse trabalho.

Cabe destacar que neste momento utilizo a ideia de *paixão* me valendo do ponto de vista de meus informantes, uma categoria "nativa" que em muitos depoimentos aparece estreitamente vinculada à profissão. *Paixão*, para os jornalistas, será um sentimento e, portanto, vinculado à *emoção* e não à *razão*, e significará um envolvimento de ordem afetiva com o trabalho. Ao pensar sobre essa questão, vou empregar o conceito de *adesão*, que significa também um envolvimento, mas de outra esfera. Trata-se de um movimento abrangente da carreira sobre outros setores da vida do indivíduo, determinando, como o próprio termo demonstra, uma *adesão* à profissão. Se *paixão* im-

O mundo dos jornalistas

plica uma sensação em relação a um objeto, *adesão* vai gerar todo um *estilo de vida* e *visão de mundo* bastante particulares em razão de sua existência.

O que levou essas pessoas a entrarem no jornalismo ou a escolherem a profissão não varia muito. Quase todos gostavam de ler e escrever quando criança, e pensavam em fazer jornalismo. A grande maioria cursou jornalismo ou comunicação, o que pela idade – menos de 40 anos – demonstra que já existiam os cursos obrigatórios para obter o registro profissional.

Para M. E., pauteira da TV Manchete, 27 anos, oito de profissão, foram vários os motivos que a levaram a optar por jornalismo: "Sempre gostei de ler e escrever. Achava interessante ver na TV e no jornal os repórteres. Foi algo que sempre me interessou e nunca fiz outra coisa na vida além de jornalismo".

A trajetória dessa repórter reflete bem a situação da maioria do grupo, para quem o jornalismo não entrou em cena por acaso, ao contrário de alguns jornalistas veteranos. Aqui a profissão surge efetivamente como resultado de uma opção, ainda que as influências tenham sido muitas. Mas há exceções: para uma repórter do jornal *O Dia*, 26 anos, formada há cinco, o caminho para o jornalismo não foi tão natural como alguns garantem. Ela diz que não sabe bem como resolveu fazer faculdade de comunicação. Acha que foi mais por eliminação do que por opção.

Alguns entrevistados chegaram mesmo a tentar outras profissões antes de escolher jornalismo. Uns se formaram em letras, outros em sociologia, um trabalhou no comércio, outro se graduou em história. Mas o encontro com a profissão foi, para muitos deles, um encontro feliz. Como demonstra o então chefe de reportagem de *O Globo*, A. M., 38 anos: "Minha família queria que eu fosse médico e eu queria ser professor de história. Fiz três anos de história, mas o jornalismo sempre me fascinou. Ele é a história do dia a dia. [...] Eu não seria feliz fazendo outra coisa. É uma profissão fascinante e não me arrependo dela".

É interessante perceber como poucos se veem em outra ocupação, trabalhando em outra área. Aqui outra vez profissão e felicidade estão intimamente ligadas, como se a primeira fosse o caminho para a segunda, como se fossem elos de uma mesma corrente.

Não é à toa que quando conversei com esses jornalistas sobre sua ocupação muitas vezes a emoção foi grande e surgiu a vontade de eles contar suas próprias histórias, suas experiências mais empolgantes. Por outro lado, não são poucos os que a definem como uma cachaça ou um vício, uma imagem negativa captada no próprio meio. A profissão é atraente e faz com que os "viciados" não consigam se libertar dela. Mas por que se libertar? Porque ela absorve, atrai mais do que o normal ou do que o considerado ideal e comum em outras profissões, afirmam muitos jornalistas; ela envolve e exige *adesão* de quem a escolhe. É como o vício, dá prazer a quem se entrega a ele.

Essa estreita relação com a ocupação vai demonstrar o quanto para o grupo ela denota importância, responsabilidade social, *status*, e o quanto ela se adéqua a uma personalidade *narcisista*. Não é à toa que alguns brincam que o jornalista-padrão não deveria nunca ter folga, para não ficar por fora do que acontece no mundo.

Os jornalistas têm uma visão particular do que seja narcisismo. Para eles, ser narcisista significa ser vaidoso ao extremo. Seria a necessidade de chamar a atenção para si, se autopromoverem. Segundo os depoimentos, esses profissionais estariam sempre atuando como um relações-públicas de si mesmos.

Portanto, o conceito de *narcisismo* de meus informantes seria o resultado de vários elementos diferentes, aliado ao conceito de narcisismo oferecido pelo senso comum: amor exagerado a si mesmo, implicando, assim, desinteresse pelo outro.

Outra imagem frequente é a comparação entre jornalismo e sacerdócio. Aqui não é mais a medicina que se utiliza como parâmetro, e sim algo mais forte, ao nível do sagrado. Isso explica o que para muitos é considerado um problema da profissão, que é o jornalismo invadir a vida particular do profissional, por exemplo às vezes chamado pela empresa no meio da noite. Isso se justifica quando se leva em conta não se tratar de um simples ofício ou trabalho assalariado, mas de uma ocupação de "outra esfera" e que por isso exige como "pré-requisito" uma disponibilidade constante e eterna. Esse ponto me remete à ideia da missão do jornalista, que estaria ligada a algo divino, a uma função concebida por alguma coisa exterior a ele, da ordem do sagrado. Não se trata, porém, de questionar os problemas ou as consequências que a profissão acarreta, e sim de entendê-la a partir desse ponto de vista.

Quando se abordam os problemas da profissão, os depoimentos são unânimes em apontar o mais sério deles: o baixo salário. Não houve um jornalista sequer que não tivesse comentado ou reclamado da remuneração. Para todos, esse é o problema mais grave e sem solução a curto prazo. Em seguida à questão salarial, vem outra, também vinculada à primeira: a carga horária. Muitos salientam que a jornada de trabalho do jornalista de cinco horas, com possibilidade de mais duas extras no contrato, raramente é cumprida à risca. São inúmeros e frequentes os casos de jornadas de nove ou dez horas, muitas vezes sem o devido pagamento. Outro aspecto levantado é o pequeno e fechado mercado de trabalho, que, aliado à grande oferta de mão de obra barata, dificulta, segundo os entrevistados, a melhoria de salário e das condições de trabalho.

Em relação ao mercado de trabalho, vale salientar que entrar nele implica a conjunção de dois fatores: competência e relações pessoais, fatores que também vão ter influência na ascensão na carreira. Os jornalistas apontam ambos como aspectos importantes, mas dizem que não se pode estabelecer uma regra para todos os profissionais e que há situações distintas em que as influências vão variar de grau de um para outro jornalista.

Quase todos conseguiram o primeiro emprego graças, principalmente, a algum professor, amigo ou parente que lhes abriu as portas de um veículo. Também são comuns os casos em que o bom desempenho na faculdade levou à obtenção de um estágio ou emprego, ainda que temporário.

A censura interna, sobretudo nas grandes empresas, também é tida como um entrave delicado, uma vez que pode pôr em confronto os interesses e a filosofia da empresa e a ética do profissional. Nessas horas, ressaltam, é preciso "ter muito jogo de cintura". E quando o prato que oscila da balança é não ganhar o suficiente e não realizar um trabalho com liberdade, do agrado do jornalista, é aí que ele se sente esmagado. Para vários profissionais, o equilíbrio está na aceitação do jornal-empresa sem, contudo, entregar-se de forma passiva aos valores e à filosofia do patrão.

Levando-se em conta essa situação conflitante em que vive o jornalista, depreende-se que cada membro do grupo tem a sua imagem de jornalista ideal. Como ele deveria agir e que qualidades lhe seriam essenciais? Ter iniciativa é uma das qualidades exigidas de um bom profissional, que também deve ser isento e objetivo. Escrever bem aparece em alguns depoimentos, mas é curioso que não esteja presente na maioria deles. Para uma entrevistada, o "bom jornalista" deve entender que seu trabalho se parece com o de um médico e estar disposto a abrir mão de vários

O mundo dos jornalistas

outros pontos, como horário e família. Novamente se destaca a imagem da *adesão* à profissão e do estilo de vida gerado por ela.

É interessante que, embora em geral um bom texto seja considerado importante para a qualificação de um jornalista, esse aspecto não recebe uma ênfase especial por parte do grupo. As definições que dão para um bom texto variam entre ele ser objetivo, claro e suficientemente informativo. Também são apontadas a fluência e a leveza como fatores necessários. Mas vários repórteres comentam que há colegas que não sabem redigir um bom texto, mas realizam uma excelente apuração, o que compensa.

Se o resultado final do trabalho é publicado no jornal, fica, portanto, exposto à crítica de todos, leitores e colegas, e quem determina a qualidade de um texto tanto pode ser o editor como o redator, ou mesmo o responsável pela leitura crítica de todo o jornal. Críticas frequentes e graves podem acarretar a mudança de editoria ou a demissão do profissional, assim como elogios constantes podem resultar em ascensão na hierarquia, em muitos casos para setores onde um bom texto é mais valorizado, em geral os cadernos de cultura ou política.

Ao tentarem descrever como seria um jornalista típico, muitos o qualificam, por exemplo, como esperto, comunicativo, supervaidoso, aquele que conhece um pouco de tudo, mas nada a fundo. Alguns salientam que, por lidar com o poder, deixa-se influenciar por ele. Para outros, é alguém que está sempre ligado e costuma ser nervoso – o adjetivo "neurótico" é frequentemente utilizado para definir esse profissional. "Para ser jornalista é preciso ser pelo menos um pouco neurótico", enfatizam. Não só pelo ritmo de vida, mas também por ser preciso abdicar da vida pessoal.

Uma informante garante que todo jornalista é neurótico e explica por quê: "Ele só vive para o trabalho, só fala nisso, vive angustiado, respira trabalho e vive muito fechado, num mundo de jornalistas". Ela comenta ainda que a intensidade com que o jornalista se vincula à profissão lhe parece uma peculiaridade do profissional. Não vê isso em outras carreiras.

A imagem de boêmio também é recorrente no grupo, que aponta essa característica quando peço que se descreva o jornalista típico. Ele não é só o que está na redação 24 horas por dia, é também o boêmio, que depois da redação vai para um bar beber, relaxar e compartilhar com os colegas o que viveu durante o dia.

A maneira de se vestir é outro elemento de identificação desse profissional, asseguram os entrevistados. Através dela é possível descobrir se o indivíduo é jornalista e em que órgão ou setor ele trabalha. E para isso determinam uma espécie de hierarquia, segundo a qual repórteres de jornais como *Jornal dos Sports*, *Última Hora* e *Tribuna da Imprensa* se apresentariam mais malvestidos. Eles usariam calça *jeans*, tênis, sem luxos nem preocupação com moda. Isso decorreria do fato de esses jornais terem menos prestígio e pagarem salários menores a seus funcionários.

Os jornalistas de televisão estariam no topo dessa hierarquia de prestígio e salário, o que significaria, de modo geral, profissionais bem-vestidos. Os homens usarão terno e as mulheres, sempre maquiadas, jamais usarão *jeans* ou tênis. Quanto aos jornais de maior prestígio, como *Jornal do Brasil* e *O Globo*, essas distinções serão mais sutis na medida em que existem ali diferentes editorias, cada qual ocupando um lugar diferente nessa escala de *status*. Um profissional que trabalhe na editoria de Política ou Nacional não se vestirá com *jeans*, camiseta ou tênis como um da editoria Geral. Muitos comentam que quando um repórter muda de editoria isso logo é percebido através das alterações em seu vestuário.

E se existe um perfil do jornalista típico, há também um sonho comum entre os profissionais. Quase todos os jornalistas parecem sonhar em abrir um bar. Foram poucos os que não demonstraram vontade de realizar esse desejo. O bar, nas palavras de uma repórter, é a segunda instituição jornalística. Depois do bar, o sonho é mesmo continuar sendo jornalista, apenas mudando de "posto". Ser dono de um jornal, ter uma editora, uma rádio ou uma empresa da área de comunicação. Isso não impede que haja uns poucos que queiram ter um sítio e viver de artesanato, como uma repórter de televisão.

Mas, para quem acha que fez a escolha certa, o sonho profissional estará sempre relacionado com ela. É o caso da jornalista que quer montar o próprio negócio, sem patrão, no esquema de cooperativa, para fazer algo criativo e que também dê dinheiro. Um projeto jornalístico e em televisão. Não ter patrão e possuir um negócio seu parecem palavras-chave no imaginário desse grupo. Essas expressões indicam a vontade de se libertar do esquema empresarial dos grandes jornais e do próprio anonimato.

Segundo os depoimentos, essa categoria profissional é bastante diferente das outras, porque em muitas ocasiões os jornalistas se sentem especiais. Enfatizam que a profissão pode levar a pessoa a um falso sentimento de poder. Por estar próximo de autoridades e obter informações secretas, o profissional se ilude acreditando em seu poder. É um meio em que circulam pessoas vaidosas, pretensiosas e autossuficientes, afirmam.

Isso não quer dizer que só haja pessoas com tais características. Sem dúvida, trata-se de uma profissão que mexe com o ego do indivíduo, suscetível de se tornar "deslumbrado".

Foram poucos os jornalistas que comentaram ou explicitaram seu relacionamento com jornalistas mais velhos. Alguns se referiram com admiração a jornalistas ilustres, mas sempre como uma referência distante do seu dia a dia. Hoje, há cada vez mais jovens ocupando cargos importantes. Vários informantes do grupo exercem essas funções, e nenhum deles atingiu a faixa dos 40 anos. Nesse sentido, para os jovens repórteres que estão se iniciando na profissão, os modos de ver são distintos daqueles dos mais experientes.

Pode-se entender a indiferença, até certo ponto, demonstrada por alguns jornalistas em relação aos profissionais mais velhos, se levarmos em conta que os últimos estão em menor número nas redações, e nem sempre o contato entre as duas gerações no trabalho é frequente e cordial. Os jornalistas mais experientes ocupam, na maioria dos casos, cargos de chefia ou exercem funções especiais, como colunistas ou correspondentes internacionais, não sendo encontrados diariamente no jornal. O que se pode constatar é que nem sempre há admiração dos jovens pelos mais velhos, e as relações entre ambos os grupos não são muito estreitas.

Quase todos os meus entrevistados do capítulo 3, jornalistas muito bem-sucedidos e muito elogiados pelos jovens, afirmaram não ter muito contato com quem está iniciando a carreira. Encontram-se em posições privilegiadas em termos de horário e esquema de trabalho, ou trabalham em setores ou editorias específicas onde não há muitos jovens.

O relacionamento entre essas gerações resulta de muitos fatores aglutinados. Cada jornal funciona de uma maneira e dá aos mais experientes um lugar de destaque ou não. Muitos jovens querem se afirmar demonstrando que podem crescer na profissão sozinhos, da mesma forma que há velhos fechados em suas áreas e em seu mundo, sem interesse pela troca de experiências. Uma coisa é certa: há uma distância real entre essas gerações, e cada vez mais as redações se tornam espaços prioritariamente da juventude.

E, se as redações se tornaram um reduto de jovens, também estão se transformando em local de trabalho das mulheres. Cresce a cada ano o número de mulheres nas redações, sendo poucas as editorias que não as absorvam, sejam como repórteres, sejam em cargos até mesmo de chefia. Para muitos, a tendência do jornalismo é se converter numa profissão predominantemente feminina. Para as mulheres, a realidade não parece ser tão simples assim. Embora a maioria afirme não ser mais discriminada na profissão, certas áreas continuam vetadas para elas. A editoria de Esportes é apontada por todos como a mais avessa a mulheres. Alguns acreditam que isso se deve a que as mulheres não têm acesso ao vestiário masculino. E o futebol ainda é o esporte nacional, e dos homens.

Para muitos entrevistados, as redações atraem hoje mais mulheres pelo fato de o jornalismo estar muito ligado à televisão e à ideia de show. Garantem que a televisão é o sonho final da maioria das repórteres, que se sentem um pouco artistas trabalhando nesse veículo. Antigamente isso não ocorria com tanta intensidade porque o jornalismo era basicamente investigativo e a televisão ainda não era um veículo atuante. Várias mulheres afirmam, inclusive, que há jornalistas mulheres que não trabalham para o seu sustento, mas apenas para preencher o tempo e/ou complementar a renda, por isso aceitam trabalhar por salários tão baixos, enfatizando que o prestígio obtido com a profissão compensaria tais condições. Por outro lado, acham que os homens não se encontram na mesma situação. Precisam de trabalho para se sustentar e à família, e, além de o *status* oferecido pela carreira ser importante, para eles a questão salarial não está em segundo plano como para algumas mulheres. Isso explicaria, na opinião de várias jornalistas, o crescimento do número de mulheres nas redações.

Para M. D., repórter da TV Manchete,[28] 27 anos, o fato de ser mulher não atrapalha seu desempenho. Ao contrário, só lhe trouxe vantagens, porque a tratam em geral melhor em qualquer lugar.

Entretanto, essa profissional acha que, se em televisão não há tanto preconceito contra a mulher, o mesmo não ocorre em jornal, onde as gerações mais antigas acreditam que só homem pode trabalhar em editorias como Política e Polícia.

Pelas entrevistas pode-se concluir que as mulheres, ainda que estejam em maior número, continuam a sofrer discriminação. Segundo as informantes, as cantadas são de todos os níveis, e as mais comuns vêm sobretudo das fontes. Os homens entrevistados acham que não há discriminação, salientam o bom trabalho realizado por várias mulheres e citam outras que já ocupam cargos de chefia. Um jornalista veterano acrescenta ainda que as mulheres trabalham melhor, não só porque a competição na profissão é grande, como pelo fato de elas terem de provar que são melhores que os homens.

A família

PARA TODOS OS ENTREVISTADOS, parte deles casados e com filhos, a família é muito importante em suas vidas, mas com frequência tem de ser sacrificada pela profissão.

---

28 Canal de televisão criado pelo empresário Adolpho Bloch nos anos 1980.

O mundo dos jornalistas

Há momentos, como as grandes coberturas, em que a redação e os colegas se tornam a casa e a família dos jornalistas. Ali e com eles dividem alegrias e tensões, compartilham dificuldades e se apoiam mutuamente. Entre os trinta entrevistados, é grande o número de separados e de solteiros sem parceiros. A maioria aponta o trabalho como causa disso. Afinal, comentam, não é todo marido que aceita ter uma mulher sem hora certa para chegar em casa, que trabalhe no fim de semana e possa ser chamada a qualquer momento pela redação. Outros comentam que há muitos casamentos entre jornalistas, mas nem sempre é uma experiência positiva, devido aos horários, que mudam muito. Por ser um tipo de trabalho que agrega as pessoas e as ocupa demais, favorece essa aproximação.

Conciliar trabalho e vida familiar é para vários informantes um problema complicado. Principalmente as mulheres e mães se queixam das muitas tarefas e da difícil divisão de horários. Para outras com filhos maiores, não é uma questão sem solução, mas há que se adaptar e encontrar um caminho.

A. L. V., pauteira da TV Bandeirantes, 33 anos, é separada e tem um filho de 7 anos. A seu ver, não é possível realizar plenamente as duas funções de mãe e jornalista. Uma delas ficará prejudicada. "Acho difícil ser mãe e me aprimorar na carreira. Se você quer fazer carreira, tem que deixar o filho de lado. Não tem jeito. Filho absorve muito a gente. O que parece estar em jogo são dois papéis absorventes e atraentes."

Quando pergunto sobre situações especiais ou de urgência, ou por causa do trabalho, ou por um acidente com filho, a resposta é unânime: cada caso é um caso. Se o acidente for grave, largam tudo; se não for, e no trabalho há algo urgente, tentam achar uma solução intermediária. A consciência de responsabilidade nas duas áreas é bastante enfatizada. Mas em casos extremos o filho e a família estarão em primeiro plano.

O que se percebe ao discutir o papel da família na vida desses profissionais é que há uma tensão sempre presente entre os dois *mundos*: o do trabalho e o da família. Por isso ocasionalmente seus discursos podem parecer contraditórios ao privilegiarem um dos aspectos em determinado momento e o outro logo em seguida. A tensão é permanente e está expressa até mesmo na própria dificuldade, por eles manifesta, de manter relações conjugais duradouras.

Por outro lado, o que muitos destacam, e nesse caso não apenas as mulheres, é que no dia a dia a família sai muito prejudicada, sendo comuns as queixas sobre faltar tempo para ela.

G. A., repórter da rádio JB, 30 anos, separado, dois filhos, é um dos entrevistados que lamentam a falta de tempo para os filhos e a família em virtude de seus dois empregos. Acha que o excesso de trabalho provoca um afastamento familiar, e os relacionamentos ficam afetados por sua ausência. Um dos filhos ele só vê de quinze em quinze dias, circunstância que o incomoda muito.

Mas não são apenas os filhos que se prejudicam com a vida de um jornalista. O relacionamento amoroso também, pois encontrar um companheiro disposto a dividir o parceiro com o jornal não é tão fácil. E o fato de serem os dois da mesma profissão pode em muitas ocasiões atrapalhar. Se há compreensão exatamente por viverem no mesmo meio, por outro lado os problemas são semelhantes; além disso, conciliar dois plantões e horários pode ser mais difícil do que se um dos cônjuges tivesse outra profissão.

Os amigos são considerados uma segunda família e em certos casos tornam-se mais importantes que os parentes. Ou-

O mundo dos jornalistas

tra vez a noção de *network*, que, como já comentei, não é apenas o resultado de escolhas e afinidades, mas inclui também relações definidas socialmente, ainda que o grupo destaque as escolhas e afinidades. Nesse aspecto, é quase unânime a maioria dos amigos dos informantes pertencer à área jornalística. Por tudo o que já vimos até agora sobre a profissão e a *adesão* a ela que sua escolha implica, esse dado não surpreende. Assim também o *estilo de vida* irá reforçar os vínculos e laços que tenham a profissão como elemento comum, nesse caso os amigos.

Não é à toa que uma entrevistada brinque que, quando algum colega dá uma festa, todos pedem que se leve gente de fora, para não ficar um ambiente maçante e fechado. Do contrário só irão jornalistas. A expressão "gente de fora" reflete bem o sentimento de tribo que percebi nos depoimentos dos entrevistados.

Ética profissional

SEGUNDO OS JOVENS JORNALISTAS, a noção de ética está ligada à ideia de um código com regras determinadas para o exercício da profissão. Para a grande maioria, entretanto, esse código é muito subjetivo, varia de pessoa para pessoa e se baseia muito mais na consciência de cada um do que em normas preestabelecidas. Alguns comentam que diversas empresas têm seus próprios critérios, mas poucos os consideram um verdadeiro código de ética. Tais critérios expressam apenas a filosofia e a forma de atuação da empresa.

O conceito de ética que utilizo é o da área da filosofia que reflete sobre os problemas fundamentais da moral, como natureza do bem e do mal, o sentido da vida humana, entre outros. Se muitos depoimentos ressaltam como é subjetivo avaliar uma atitude ética, não se pode negar a existência de alguns parâmetros comuns. Um repórter que se utiliza de sua função para obter informações sigilosas em troca de privilégios será tanto punido pela empresa quanto criticado pelos colegas, salientam os informantes.

Todos enfatizam que a esfera de ação de um profissional com relação à ética tem um limite, imposto pela própria hierarquia do jornal. O jornalista deve se responsabilizar por todas as informações constantes em suas matérias. Elas devem corresponder à verdade. No entanto, a utilização dessas mesmas informações, ou mesmo sua omissão, está fora de sua área de influência. O profissional pode sugerir ou mesmo discutir com seu chefe sobre sua importância e destaque, mas não terá poder de decisão.

Essa categoria profissional considera a ética um elemento fundamental tanto para a profissão como para a sociedade, que lhe cobra uma postura ética. Essa ética tem um código regulador na verdade desconhecido, e não é percebida como uma ética específica ou própria da profissão.

Outro aspecto merece ser destacado: a noção de ética criará, dentro da visão dos jornalistas, uma dicotomia entre real e ideal no dia a dia da profissão. Ser ético o tempo todo ao mesmo tempo que se trabalha para empresas privadas com outros objetivos e conceitos éticos pode se mostrar difícil e complicado, garantem alguns.

Comprometimento parece ser a palavra-chave para entender o significado da ética profissional para o grupo pesquisado. O que é fundamental é se mostrar isento perante os fatos, ten-

O mundo dos jornalistas

tar apurá-los sem preconceitos ou ideias preconcebidas. E nesse sentido a imagem do leitor deve estar sempre presente para o jornalista. É a ele que o repórter deve satisfação e "obediência". Embora o grupo ressalte que seu compromisso seja com a notícia, de fato é para o leitor que ela é escrita. Novamente a ideia do jornalista com uma função social, com um compromisso. Sua vida e sua atividade não podem ser desvinculadas do processo social.

Várias questões éticas da profissão são levantadas por meus informantes. A quem servir? À empresa, à notícia, ao leitor ou a seus próprios valores e sua consciência? Todos os entrevistados declararam que seu compromisso é com o jornalismo e, portanto, com a notícia. É preciso fazer um trabalho digno e consciente, independentemente da empresa para a qual se trabalha. E há limites para as influências, tanto de um chefe quanto do próprio jornal. É fundamental para todos estar atentos e não deixar que essa preocupação, importante para a realização de um trabalho de qualidade, se dilua na pressa e na tensão das redações.

Para Claudio Abramo, os jornalistas não têm ética própria, mas as empresas, sim. E exatamente por isso o jornalista deve ser consciente. Não pode ser ingênuo nem achar que dispõe de licença especial que o coloca acima do bem e do mal. Ele precisa da ética para não ser impiedoso com as pessoas e os fatos.

Um jornalista exemplifica: "Eu voto no Brizola, sou socialista e trabalho no *Globo*, que é um jornal conservador, mas aqui não me pedem atestado ideológico. Minha função de chefia é mandar os repórteres para a rua cobrir os fatos. Não comungo com a ideologia da empresa, mas sou parte da engrenagem. E é fácil conviver com isso. Eu alugo minha força de trabalho, não minha cabeça. E é assim em todos os jornais. Não me firo nem prejudico ninguém. Procuro fazer o meu trabalho o melhor possível".

Nos depoimentos nota-se que o problema ético foi equacionado como resultado de um equilíbrio entre o desejo ideal e o confronto com o real. Para vários profissionais, há questões que devem ser levantadas e que ajudam o jornalista a saber como agir em situações delicadas. Uma delas é saber a quem interessa a divulgação de determinada notícia e que implicações ela terá. Nesse sentido, a experiência ajuda a lidar melhor seja com a fonte, que não deseja a informação divulgada, seja com o chefe, que decidiu pela publicação.

A questão da fonte ou do informante e sua preservação é polêmica. Muito se fala em manter em sigilo o informante, para que informações importantes e secretas possam ser obtidas. O cidadão que vai falar quer estar certo de que suas declarações não irão prejudicá-lo no futuro.

Um exemplo é a cobertura do caso Watergate feita pelos repórteres do jornal *Washington Post* Carl Bernstein e Bob Woodward. Muitas vezes Bernstein e Woodward tiveram problemas não só com o governo mas com o próprio jornal, cujos chefes se mostravam ansiosos com os depoimentos dos informantes e suas implicações. Era fundamental que eles fossem verdadeiros. Ainda que seja uma regra quase universal não revelar o nome dos informantes ou algo que possa identificá-los, nem todos os membros do grupo concordam que ela deva ser seguida à risca em todos os casos.

Na opinião de um jornalista de *O Globo*, é preciso estudar cada situação e compreender as consequências da revelação das fontes. Em muitos casos, a própria empresa tem suas nor-

O mundo dos jornalistas

mas: "O jornal procura seguir as normas. E não misturar a empresa com a redação. Não revelar as fontes. Eu, pessoalmente, acho que nesse ponto há casos e casos, e na maioria das vezes a ética serve mesmo é para preservar quem errou. Não sei se é ético não informar tudo".

A dificuldade de se estabelecerem regras fixas é uma preocupação para todos. Alguns conseguem encontrar parâmetros para suas condutas pessoais, como é o caso da repórter filiada ao Partido dos Trabalhadores (PT), que não deixará de dar informações que possam incomodá-lo ou atrapalhá-lo. A seu ver, sua missão é informar, doa a quem doer.

Outro dado apontado é o vínculo do jornalista com a empresa para a qual trabalha. Para muitos é ela quem decide o que deve ou não ser publicado. É um direito seu. A palavra "fidelidade" é lembrada para demarcar essa relação, mas não há consenso entre o grupo. Cito o caso da repórter que depois de apurar e redigir uma matéria passa-a para outro jornal publicá-la porque seu veículo não teve interesse em noticiá-la. A situação é polêmica e suscita pontos de vista diferentes. A profissional cometeu uma falta porque é funcionária da empresa, argumentam uns. Se se tratava de uma denúncia, ela agiu bem: a notícia deve sair onde for, pois o mais importante é o fato, asseguram outros. Todos ressaltam que cada situação é única e particular, sendo difícil julgar a distância. Essa variedade de opiniões também demonstra a relação do jornalista com o produto de seu trabalho. Há de um lado a ideia de que o trabalho é um esforço seu que não pertence ao jornal. Numa outra perspectiva, a reportagem é da empresa, e ela deve decidir o que fazer com a matéria.

A relação com os colegas de trabalho é outro aspecto em que a ética, ou a falta dela, está presente. Todo grupo afirma que a competição é uma característica da carreira. São muitos querendo dar um furo e virar "estrela". Alguns chegam a afirmar que há falta de ética entre companheiros de profissão, e a razão disso seria a competição e a concorrência: "Hoje a concorrência é feroz, é a 'lei da selva', faz-se de tudo para conservar o emprego de algum jeito. Acho inclusive o jornalista mais ético com a informação em si do que com o próprio colega. Todo mundo quer passar na frente do outro".

O relacionamento entre colegas e a alta competitividade da classe refletem-se nos depoimentos dos entrevistados quando eles descrevem o meio profissional. Embora reconheçam que existam pessoas de diferentes níveis sociais e econômicos, todos enfatizam sempre a concorrência. Além disso, o jornalista é descrito como alguém individualista e egocêntrico.

O poder

PARA A SOCIEDADE, o jornalista é um indivíduo que detém informações importantes, circula em áreas de poder político e financeiro, e por essa razão possui um *status* que o insere em uma elite que tem, portanto, poder. Mas nem sempre esse quadro corresponde à realidade.

Entendo poder como a possibilidade de um homem ou de um grupo de homens concretizar seu próprio desejo mesmo contra a vontade de outros. E é preciso distinguir poder econômico de poder simplesmente, pois o poder tem valor em si mesmo e outro fundamento que não apenas o econômico. Dessa forma, o homem lutará muitas vezes por poder pensando na *honra social* associada a ele. Entretanto, pode-se obter uma coisa sem a outra.

O mundo dos jornalistas

No caso dos jornalistas, a ideia de poder também está vinculada a honra e prestígio, como se vê claramente nos discursos dos entrevistados.

Muitos jornalistas afirmam que não raro o próprio profissional se ilude acreditando ter poder. Penso que, ao utilizarem de forma genérica a noção de poder, meus informantes se referem basicamente ao poder político.

Para o grupo, o jornalista trabalha em meio a duas concepções contraditórias: uma que lhe confere poder em excesso e outra que lhe retira toda a capacidade de transformação social. A capacidade de influência de um jornalista estará intimamente ligada à dimensão e ao público da empresa para a qual trabalha.

A noção de poder para esse segmento está muito relacionada com Estado, autoridade política e força econômica. Para todos é uma questão importante, bastante polêmica e à qual a profissão está associada. Ainda que enfatizem que o jornalista não tem poder, ou que quando ele existe é muito reduzido, os depoimentos demonstram que a atuação desse profissional não está restrita ao jornal ou a seu *network*, mas seu espectro é mais abrangente.

Não são poucos os que se referem aos perigos da profissão e destacam que a ilusão do poder seria um deles, e dos mais graves. O jornalista, na opinião do grupo, tem um papel social importante como cidadão e profissional; entretanto, a maioria não acredita que sua atividade esteja imbuída de mais força do que outras. Comentam, isto sim, que a informação é poderosa, e ter acesso a ela – o que não ocorre com a maioria da população – demarca diferenças. Mas muitas vezes a notícia não sai do âmbito do jornal e se resume a uma conversa entre colegas.

Em outras situações em que a informação é preciosa, a disputa por ela é acirrada; os jornalistas acreditam que sua força e impacto dependerão, e muito, do órgão que irá divulgá-la. O repórter que apura sozinho não transforma a sociedade, como muitas vezes o leitor imagina, garantem eles. Entretanto, destacam: sua função é importante, e, mais ainda, é preciso que ela seja exercida dentro de padrões éticos, pois são muitos os acontecimentos "delicados" que exigem perspicácia e experiência do jornalista.

Vários jornalistas jovens comentam que antigamente o relacionamento entre os profissionais da imprensa e o poder político era muito menos ético. Os políticos estavam dispostos a tudo para aparecer de forma positiva nos jornais e os jornalistas eram facilmente corruptíveis. Acreditam que isso não acontece hoje em dia, ou pelo menos na mesma proporção. Mas lamentam que ainda existam exemplos que comprometem a profissão.

Parece claro para o grupo que os jornalistas sabem que estão próximos ao poder, mas que este não lhes pertence. E essa norma não pode ser esquecida, caso contrário o profissional corre o risco de se perder na carreira. Enfáticos na análise da relação com as autoridades, esses profissionais afirmam que a convivência é bem mais difícil do que parece.

"O jornalista sempre vive perto do poder. Ele está sempre próximo, íntimo, mas ele não tem poder. Isso é uma quimera."

"Acho que o jornalismo leva a pessoa a um sentimento de poder que é um falso poder."

Ao lado dessa ênfase em um relacionamento distanciado do poder, existe a tradição do jornalista como um político ativo e participante. Durante muito tempo, ressalta o grupo, as redações foram redutos da esquerda brasileira e do Partido Comunista. Ser jornalista significava ser de esquerda, ter uma postura progressista. Criticar o sistema assim como ser atuante na sociedade eram requisitos de um jornalista. Hoje muita coisa mu-

O mundo dos jornalistas

dou. Muitos declaram que os jornalistas se despolitizaram nos últimos tempos, não sendo capazes de mobilização nem mesmo por algum interesse da própria categoria, como aumento salarial ou outra reivindicação profissional. Ainda assim, as redações reúnem cidadãos majoritariamente de esquerda. Muitos profissionais não são membros de partidos nem primam por uma atuação política marcante, e também não têm uma visão messiânica e salvadora do jornalismo. Segundo vários deles, o jornalista não é mais o herói que está lutando em uma batalha por seus ideais políticos e sociais.

Os jovens jornalistas sabem que políticos e governantes os encaram como solução para muitos problemas e ponte para a conquista da opinião pública. Alguns repórteres têm em mente que muitas ações do poder político perderiam força sem a imprensa.

Para a repórter L. N. do jornal *O Globo*, o relacionamento do jornalista com o poder é ambígua. Se por um lado o jornalista acha que tem poder, por outro ele tem mesmo. Ele pode destruir a vida de uma pessoa, e há quem aja assim, pois, a seu ver, a acusação contra alguém todo mundo lê, mas o desmentido só um quarto das pessoas vão ler. E com isso o jornalista acaba transmitindo a ideia de que pode mesmo destruir.

Novamente uma unanimidade. Os entrevistados são categóricos em afirmar que a nova geração de jornalistas que está hoje nas redações tem uma relação mais profissional e isenta com o poder do que a geração mais velha. Antigamente, declaram, o jornalista se confundia com o poder. Sem falar nos que tinham dois empregos: um no serviço público, muitas vezes em cargos políticos, e outro em jornal. Hoje isso é bem mais raro.

Para muitos, o que acontecia anos atrás era consequência da própria indefinição do papel do jornalista. Havia até policial escrevendo em redação, o que, segundo os depoimentos, gerou má fama para a categoria. Vários entrevistados acreditam que o leitor tem dois estereótipos bem antagônicos. O jornalista, em especial o repórter, é herói ou bandido. O público confunde o jornalista com a empresa para a qual ele trabalha e está seguro do poder desse profissional. Eventos como o caso Watergate reforçam a imagem do jornalista como herói.

Duas gerações

OS DOIS GRUPOS PESQUISADOS NOS CAPÍTULOS 3 E 4 estão inseridos no universo de camadas médias. Entretanto, é preciso salientar que a definição de camadas médias é abrangente e engloba diferentes segmentos, que devem ser percebidos para além dos critérios socioeconômicos. As "fronteiras simbólicas" gerariam uma identidade comum entre os indivíduos. No caso dos jornalistas investigados nesta pesquisa, é possível falar em termos de uma *identidade comum* geradora de um *ethos* específico.

Portanto, creio que as diferenças entre as duas gerações decorrem principalmente da diferença de momentos na trajetória de cada um. Em ambos os grupos nota-se um alto grau de *adesão* à profissão, que gerou como consequência uma *visão de mundo* própria. Jovens e veteranos discorrem sobre as mais variadas questões, abordando sempre a carreira como assunto primordial. Há profissões que determinam uma postura muito particular diante delas e da vida, e acredito que o jornalismo seja uma dessas profissões. Ele é mais do que simplesmente uma fonte de sustento para seus profissionais. Atingiu um patamar tal na vida dessas pessoas que elas não se veem mais na sociedade senão pelo papel profissional. Ele se tornou o papel principal entre os vários desempenhados diariamente.

Os jovens jornalistas, por causa da idade e do estágio em que se encontram na profissão, lançam um olhar mais entusiástico e cheio de expectativa para a carreira. Ela ainda não lhes propiciou prestígio e sucesso, como ocorreu com o grupo dos jornalistas mais experientes. No momento ela é uma promessa, não uma certeza. Isso justifica em parte a atitude crítica e o ar de decepção que alguns entrevistados demonstraram com a carreira. Ela não correspondeu aos anseios, ainda não realizou sonhos. Para outros, ela não decepcionou, está apenas começando a acontecer.

Para os dois grupos, as relações de parentesco, em que se incluem família, casamento e filhos, não têm dimensão semelhante à atribuída à profissão. Ambos concordam em que muitas vezes elas ocupam lugar secundário em suas vidas, mesmo que isso não seja intencional. Explicam que a profissão toma a maior e melhor parte do tempo de suas existências, e por isso as outras relações ficam com as sobras da atenção dispensada ao trabalho. Alguns percebem isso como um problema e acreditam que é importante e possível mudar essa estrutura em que a profissão adquire tamanha dimensão. Para outros isso é inevitável e justifica, juntamente com outras razões, o casamento entre jornalistas.

As amizades têm características diferentes nos dois grupos. Os mais jovens estão mais restritos ao *mundo dos jornalistas*, sendo a grande maioria dos amigos da mesma profissão. O mesmo não ocorre com a geração mais velha. A enorme projeção no campo profissional obtida por esses jornalistas lhes propiciou uma *rede de relações* pessoais muito mais ampla e variada. Associado a esse dado, há o fato de pertencerem a uma elite não só da profissão como também da sociedade. Portanto, seu círculo de amigos não é formado exclusivamente por jornalistas, como no caso dos jovens.

A questão ética e a questão a política, dois temas recorrentes dos depoimentos, despertaram muitos comentários dos entrevistados, pois estão intimamente ligadas a essa carreira e a seu exercício. Os mais velhos afirmam que hoje há mais condições de se realizar um trabalho dentro das normas éticas. Os mais jovens concordam, sem deixar de acrescentar que problemas e dificuldades na construção de um jornalismo isento ainda existem e sempre continuarão a existir.

A politização dos profissionais surge como uma das principais diferenças entre os grupos. Os mais velhos têm uma vivência de participação e militância política muito intensa e que se apresenta diretamente ligada a suas carreiras. Já os jovens, ainda que demonstrem alguma ligação com questões políticas, esse vículo não é muito acentuado, e comentam que o jornalista de hoje não se sente mais obrigado a se filiar a partidos ou a participar ativamente da vida política nacional. Eles já não acreditam que sua participação será mais vital do que a de outros setores da sociedade.

A ênfase dos dois segmentos recai sem dúvida no trabalho, e aí as semelhanças são grandes e marcantes. É possível então mencionar a construção de um *ethos* particular do jornalista, que possui uma visão *de mundo* e um *estilo de vida* característicos. As assimetrias expressas em seus discursos denotam muito mais um momento de suas trajetórias bastante diferenciado do que distinções fundamentais em questões básicas. O fator tempo expresso na diferença de idade dos grupos assim como a localização na hierarquia social apontam para demarcações mais casuais do que intrínsecas aos grupos.

5
A CONSTRUÇÃO DA IDENTIDADE DO JORNALISTA

O MUNDO DOS JORNALISTAS, como já descrevi nos capítulos anteriores, é a um só tempo amplo e restrito. Amplo, na medida em que não se restringe ao local de trabalho, colegas de profissão e família. A cidade, o país e, em muitas situações, o próprio planeta fazem parte da vida de um jornalista, e de maneira marcante. Por outro lado, esse mundo pode ser entendido como restrito na medida em que é a profissão e tudo que se relaciona a ela que vão definir a função desses indivíduos na sociedade.

Depois de ter descrito e analisado *o mundo dos jornalistas* ao longo de quatro capítulos, é preciso ressaltar que *do mundo do jornal* fazem parte não só jornalistas como também outros profissionais e personagens. Ainda que os jornalistas sejam os protagonistas da cena, eles a dividem com vários atores coadjuvantes: *office boys*, secretárias, técnicos em informática, seguranças, além de gerentes e diretores. Essas empresas têm uma rotina bastante específica, ou seja, não se assemelham a outras instituições comerciais como bancos ou fábricas. Os horários são muito próprios e o ritmo de trabalho muito mais acelerado. Embora alguns jornalistas salientem que os demais setores de um jornal não têm a mesma agitação da redação, quem trabalha em outros departamentos afirma que a movimentação e a tensão presentes na redação contaminam toda a empresa.

Ao longo de sua existência, o homem vive diferentes *papéis sociais*, muitas vezes desempenhados concomitantemente; em alguns casos, eles se mostram contraditórios ou ambíguos e em muitos outros estão intimamente relacionados. No caso do grupo investigado, existe a meu ver predominância de um *papel* sobre os demais. Embora haja tensão entre eles, pelo que percebi nos depoimentos, o *ser jornalista* é a função prioritária na vida de cada um.

Quando se pensa no conceito de *identidade social* tomando por base a noção de *papel social* e de sua construção, pode-se concluir que para esse grupo o papel profissional ocupa um lugar de destaque em suas trajetórias, mesmo que existam outros papéis diferentes a serem desempenhados. O *ser jornalista* contamina os demais papéis, ainda que de forma diferenciada.

Utilizarei aqui o conceito de *identidade* para apreender categorias pertencentes a uma mesma sociedade, o que, em um nível

O mundo dos jornalistas

mais geral, implica um conjunto de valores compartilhados por diferentes segmentos. O grupo estudado faz parte de uma sociedade complexa, e nela existem grandes diferenças entre as diversas categorias sociais, possibilitando que diferentes grupos tenham uma leitura particular e muitas vezes contraditória da própria sociedade.

Na opinião de alguns sociólogos, nenhum indivíduo tem uma identidade única, mas uma simultaneidade de identidades, assim como de *status* e papéis. E *status* e papel são regras e expectativas socialmente definidas. Na noção de identidade inclui-se outra, a percepção do *self*. Essa noção será o resultado da soma de vários *status* e papéis, e de experiências variadas, formando um retrato coerente do *self*.

Ao analisar esse grupo de jornalistas, pode-se constatar que se por um lado a profissão – e portanto o *ser jornalista* – sintetiza as características do indivíduo, resultando em sua totalização sob o prisma de sua identidade, por outro há uma tensão entre esse papel totalizante e outros papéis relacionados, por exemplo as relações de parentesco e família. Acredito ser possível falar de uma *identidade do jornalista* construída apesar de ou sobre essa tensão. Ou seja, essa identidade não é exclusivista ou determinante, ela é a síntese de uma série de papéis desempenhados por um indivíduo, com funções diversas. Alguns são complementares, outros contraditórios, além de haver os simultâneos. Tal dimensão da profissão será consequência da ênfase que o grupo lhe atribui. Essa ênfase, embora possa se apresentar como uma força externa a eles, na realidade está presente nos próprios depoimentos.

Como já foi mencionado, minha preocupação com esta pesquisa não era apenas descobrir o que leva um indivíduo a escolher o jornalismo como profissão. O objetivo era perceber o que define um jornalista para além do exercício e da prática da profissão, pois trabalhar como jornalista "pura e simplesmente" não determina a construção da identidade do grupo. Diversos aspectos ajudam a construir esse personagem e a sua categoria profissional.

Assim, tomando-se por base os dois grupos de entrevistados – jovens e velhos jornalistas –, é possível perceber diferenças de *estilo de vida* entre os grupos influenciadas por diferenças econômicas. Vários jovens reclamam dos salários, a maioria deles não mora em casa própria e muitos não têm carro; já os mais velhos residem em bons apartamentos da zona sul, viajam para o exterior com frequência e quase todos possuem automóvel.

O que se conclui ao analisar esse segmento é que não se pode amarrar um grupo a uma posição definitiva e imutável na estrutura social nem definir essa posição de um ponto de vista estático. Impossível determinar com rigidez a posição desse grupo profissional na estrutura da sociedade. Pode-se falar de uma categoria profissional, mas não de uma classe, e essa categoria, como já foi dito, está inserida no amplo universo de *camadas médias urbanas*. Camadas que abarcam muitos segmentos e grupos com características bastante específicas, ainda que no conjunto apresentem muitos pontos em comum. As camadas médias não estarão, portanto, ligadas à classe dominante ou à dominada no sentido clássico delas, em que as classes são definidas por seu papel no modo de produção. A especificidade das camadas médias se insere em outro ponto, para além das questões políticas e econômicas. Além disso, dentro do próprio grupo estudado, há distinções que são consequência do momento da trajetória social e, no caso, profissional de cada um. Assim, não é apenas a faixa etária que separa os dois grupos de entrevistados, mas as diferenças de momento ou posição na trajetória.

O mundo dos jornalistas

Quando me refiro a camadas, entendo que é possível perceber uma escala de *status* individuais como uma série de categorias sociais mais ou menos homogêneas. Essas categorias, nas quais os indivíduos possuem certos índices de estratificação, podem ser chamadas de estratos ou camadas, e até de classes. Em geral, são agrupamentos de pessoas marcadas por uma conduta semelhante, com pontos de vista comuns e um certo grau de interação mútua. Sem dúvida, se essa definição de camada pode servir também para classe, muitos problemas se colocam a partir daí, porém não é meu objetivo aqui aprofundar mais essa questão.

Outros sociólogos acreditam que pertencer a uma camada significa partilhar com outras pessoas possibilidades idênticas de receber valores, e a partir dessa ideia seria possível falar em "dimensões de estratificação". Cada uma corresponderá a uma forma de classificar os indivíduos em relação às diferentes oportunidades que têm de receber valores. Haveria, portanto, quatro dimensões: ocupação, classe, *status* e poder. Pretendo deter-me aqui na ocupação, por considerar que ela reúne diversos aspectos das outras dimensões. Uma ocupação como possibilidade de fonte de renda estará bastante ligada à noção de classe; pelo fato de as ocupações estarem situadas hierarquicamente na sociedade, pode-se depreender que o *status* será uma decorrência também da ocupação. E como as ocupações implicam ainda um exercício de poder sobre outras pessoas, pode-se concluir que as ocupações estão totalmente relacionadas com classe, *status* e poder.

Os cinquenta entrevistados fazem parte de camadas *médias urbanas* portadoras de ideologias individualistas. Essas ideologias se fazem presentes ao longo de todas as entrevistas, em que os jornalistas enfatizam uma preocupação consigo mesmos, demonstrando uma noção de indivíduo bastante específica.

Ao olhar a sociedade brasileira, e em especial meu grupo de jornalistas, percebe-se a influência das ideologias individualistas. Ideologias que têm sido a tendência dominante nas sociedades modernas e que podem ser subdivididas em dois tipos diferentes, cada um ligado a determinado momento histórico. Assim, o individualismo quantitativo referente ao século XVIII se definiria a partir da ideia de livre competição e enfatizaria a igualdade entre os homens. Já o individualismo qualitativo elaborado para o século XIX valoriza o aspecto original e único de cada personalidade individual. Hoje não se pode entender essas duas vertentes como pontos estanques, pois elas expressam uma tensão entre modalidades de individualismo. E a cidade e em especial as grandes metrópoles serão locais privilegiados de manifestação dessa tensão.

Os jornalistas seriam aparentemente portadores de uma ideologia individualista, apresentando, como já foi dito anteriormente, uma postura *blasé* diante dos fatos e da vida, tentando a todo custo, e usando a profissão como instrumento, ocupar um lugar destacado na sociedade. Isso se explicita na busca de notoriedade, várias vezes citada por meus informantes. E ajuda também a compreender o porquê da acirrada competição entre os colegas. Todos estão em uma situação comum – uma reportagem, por exemplo – à procura de um furo que os tire do anonimato e os coloque no caminho da notoriedade, quer ela seja de pequeno, médio ou grande alcance. Essa busca ansiosa pelo furo entre os jornalistas pode ser entendida como uma expressão da tendência à individualização.

As pesquisas sobre sociedades complexas impregnadas de ideologias individualistas demonstram que não há apenas um tipo de individualismo, mas vários. E a metrópole, com sua enorme fragmentação, será um espaço de atuação e desempenho dos diferentes *papéis sociais*. Portanto, esse indivíduo moderno viverá um conjunto de experiências distintas que certamente influenciará sua trajetória e sua mobilidade social. Esse contato com indivíduos de outros *mundos* poderá atingir e influenciar a visão *de mundo* de uma pessoa, assim como seu *estilo de vida*. Acho que a ampla rede de relacionamentos de meus entrevistados, que atravessam *fronteiras*, cruzam *mundos* diferentes, sem dúvida lhes marcará. É possível perceber como esse intenso contato com outros grupos, próximos ou distantes do seu próprio, leva o segmento a uma visão particular da sociedade.

Ao ressaltar que esse grupo pertencente às camadas médias urbanas está impregnado de uma ideologia individualista, não se deve estranhar que suas vidas e trajetórias pessoais sejam percebidas como resultado de escolhas pessoais, que geram uma história particular.

Deve-se recordar as afirmações da maioria dos jornalistas mais velhos, enfáticos em dizer que não se consideravam jornalistas típicos. Suas histórias de vida são especiais, únicas e não podem ser compreendidas com base em um modelo típico. Já os jovens foram os que mais ressaltaram o papel da opção em suas vidas. Entre eles não há espaço para o acaso, como entre os veteranos. Suas vidas são o resultado e a consequência de escolhas pessoais, que por sua vez demonstram a existência de um processo de individualização.

Em todas as sociedades há espaço ou possibilidade de individualização, e o que varia de uma para outra é a dimensão dessa possibilidade. Se as carreiras desses jornalistas significam uma possibilidade de individualização, essa opção vai apontar para a noção de *projeto individual*. Esse projeto não é algo "puro" ou sem relação com o meio social. Ele se constrói também com as experiências socioculturais do indivíduo, vivências e interações. A ideia de projeto está ligada a uma tentativa de organizar e dar sentido à fragmentação da sociedade moderna, onde há maior diversidade de domínios.

Nem sempre a noção de projeto aparece de forma consciente para meus entrevistados. A ocupação, no caso, elemento comum a todos, é um dado importante na realização de seus projetos individuais e pode, em determinados momentos, unir interesses comuns para um projeto social, o que nem sempre ocorre.

Acredito, portanto, que a construção da identidade do jornalista se realiza em um contexto em que diversas áreas da vida social se misturam e se confundem. Suas experiências e vivências apresentam ambiguidades e contradições. Não se pode pensar em identidade levando-se em conta apenas trajetórias e projetos conscientes e lineares, sem curvas e oscilações. A própria vivência profissional é uma fonte de convivência e contato com essa complexidade.

As noções de prestígio e ascensão social, bastante relacionadas, também ajudarão a compor o quadro da *construção da identidade do jornalista*. Pelas entrevistas ficou claro que a carreira de jornalista poderá significar, em alguns casos, um instrumento de ascensão social e obtenção de prestígio. Obviamente, os dois aspectos terão dimensões variadas de acordo com cada indivíduo. Ou seja, para um jornalista oriundo da classe alta, com um sobrenome de prestígio social e sem dificuldades financeiras, a carreira não significará uma oportunidade de conquista de *status*, porque ele já o tinha anteriormente. Ela poderá legitimá-lo ou reforçá-lo. Entretanto, para um indivíduo em outras condi-

O mundo dos jornalistas

ções, ela será um importante instrumento para ascender na sociedade. Significará em alguns casos a oportunidade de sair do anonimato da zona norte, ou do subúrbio, para o sucesso e a fama da zona sul. Nem sempre essa promessa se cumpre. Mas observam-se também nuances. Há jornalistas com prestígio, que ascenderam socialmente levando em consideração sua origem; entretanto, não ficaram famosos nem enriqueceram. O que quero deixar claro é que essa oportunidade de mudança social, ainda que escassa em termos quantitativos, é um fator de motivação e influência na escolha da profissão, mesmo que não apareça explicitamente nos depoimentos dos entrevistados.

A convivência com *mundos* distintos é um fato em toda sociedade complexa, mas pode estar mais presente no cotidiano de alguns setores, como o dos jornalistas. E para poder transitar por distintas esferas é preciso desenvolver um sentimento de familiaridade com todos os locais e acontecimentos, como ficou claro no acompanhamento dos informantes. Essa desenvoltura com que o jornalista atravessa domínios está relacionada com a ideia de *homem público*. Para esse indivíduo público, as pessoas e a própria sociedade ainda têm relevância, ultrapassados os laços familiares ou de amizade. Ao contrário, o que vemos acontecer nas sociedades modernas é o desaparecimento desse homem, substituído por outro preocupado consigo mesmo, com sua satisfação e com uma troca em relações íntimas.

É interessante analisar o jornalista com base em duas visões diferentes. Primeiro, ele ainda exerce a função de *homem público*, preocupado com o funcionamento da sociedade e o bem comum. Não foram poucos os entrevistados que destacaram o papel do jornalista na sociedade e sua função transformadora. De outro ponto de vista, também emerge a figura do jornalista como um ser moderno, *blasé* e voltado para a sua intimidade e realização. E se pode notar que há uma relação direta entre intimidade e sociabilidade. Os indivíduos de um modo geral precisam manter certa distância da observação íntima do outro para se sentirem sociáveis. E, se aumentarmos o contato íntimo, a sociabilidade diminuirá.

Os habitantes das sociedades modernas estariam vivendo esta dicotomia: intimidade ou sociabilidade. Sociabilidade que é percebida como uma forma lúdica de *sociação*, totalmente desinteressada, na qual os indivíduos se agrupam sem objetivo futuro, mas pelo prazer ou vontade de estarem juntos.

Se objetivos comuns unem indivíduos de modo geral, no caso dos jornalistas o fato de compartilharem a mesma ocupação cria entre eles um sentimento que os une e do qual tiram satisfação. Prova disso são os depoimentos de meus entrevistados, assim como as festas e os encontros em bares de que participei, onde ficavam explícitas a forte ligação reinante no grupo e a convivência intensa entre os jornalistas, além do contato diário no trabalho.

Através dos depoimentos dos entrevistados, depreende-se que o jornalista vive uma tensão entre vida privada e vida pública. A pública vai ser expressa e representada por sua atuação profissional, enquanto a vida privada também vai ser enfatizada, como quando ele destaca a importância da família e dos amigos em suas vidas. Ou seja, tanto a vida privada quanto a pública estão sendo valorizadas por esses indivíduos, e em cada momento uma delas terá maior dimensão.

Quanto à questão da vida pública, há vários aspectos a comentar e um deles é que o jornalista, pelo fato de transmitir e divulgar informações, muitas vezes transforma acontecimentos privados em públicos. São inúmeros os casos em que a imprensa

O mundo dos jornalistas

penetra na vida particular de uma personalidade ou de um político, fazendo com que seu domínio considerado particular ganhe dimensões públicas, o que demonstra o poder de levar eventos de uma esfera íntima para outra de conhecimento público, nem sempre com a concordância dos envolvidos. Em geral, essa capacidade é tida como ameaçadora e está sempre ligada à imagem do jornalista. Se o jornalista pode ser um instrumento de poder (através de seu veículo) para um indivíduo, ele é também uma força que em diferentes situações poderá extrapolar os níveis desejados. E não são raras as vezes em que ocorre abuso de poder. Então, vemos a figura do jornalista carregada de poder e prestígio passar para o extremo oposto. O profissional se torna um elemento perigoso, que dissolve fronteiras, quebra a privacidade sem piedade ou consciência. Ele se transforma no personagem à procura de uma notícia, de um furo, e isso se põe acima e à frente de tudo o mais. Essa imagem contraditória com a primeira vai estar expressa, como um caso limite, na chamada imprensa *marrom*, tipo específico de jornalismo que explora o sensacionalismo, trabalha sem ética e se utiliza de chantagem e corrupção para atingir seus fins. O que quero apontar é que o jornalista tem uma imagem ambígua e contraditória. Ele fascina e atrai, mas também é repudiado e desprezado por ser ameaçador.

Ainda na discussão do papel do jornalista, saliento que ele tem uma função importante na construção da cidadania, por ser responsável pela transmissão de informações, e cidadania está subordinada a informação. Não se forma um cidadão sem conhecimento, são as informações lhe possibilitam escolhas, avaliações e participação na sociedade. Sem isso, sua atuação ficaria restrita ou seria inexistente.

Mas, voltando à sociabilidade, se ela indica o estreitamento das relações entre esses indivíduos, também sugere algum narcisismo, ao qual muitos se referiram. Um se vê no outro e gosta do outro pelo fato de ser igual. Como na letra da canção de Caetano Veloso, "Narciso acha feio o que não é espelho". O jornalista "naturalmente" se aproxima e se relaciona com seus pares, atitude que não ocorre apenas por terem a mesma profissão ou trabalharem juntos. Uma certa semelhança os aproxima.

Não sem razão, muitos informantes sustentam que o jornalista é um narcisista. Narcisista entendido aqui como próximo ou semelhante a vaidoso, alguém interessado em aparecer e que se preocupa ao máximo em ter uma matéria assinada e lida por muitos. Alguns chegam a comentar que essa característica pode ser muito importante para os mais ambiciosos.

"Esta categoria é muito narcisista e cheia de estrelas. No jornal, muitas vezes o seu trabalho só sobressai se você aparece. Não precisa ser bom, tem que botar banca que é."

Em muitos casos o jornalista se julga superior ao "resto dos mortais", exatamente por ter acesso fácil a locais importantes e livre trânsito com autoridades.

O indivíduo narcisista está sempre buscando se destacar na multidão, o que explica seu fascínio por se tornar célebre. Essa visão de narcisismo vem ao encontro do que os jornalistas afirmam sobre sua própria classe e sua relação com o poder, que os atrai.

Como já afirmei, creio que a identidade do jornalista se forma com base na profissão e resulta de algo mais complexo do que seu simples exercício. Essa ocupação requer características específicas de quem deseja exercê-la. Muitos entrevistados afirmam que um dos fatores que os levaram a escolher a carreira foi seu poder de transformação da sociedade, de denúncia e

O mundo dos jornalistas

crítica, como se algumas profissões dessem a quem as exerce uma licença "especial", como um mandato de ordem moral, intelectual ou até legal.

O que ocorre em relação ao trabalho é que ele funciona como um sistema de interações, onde são definidos os papéis e há solidariedade entre os membros do grupo, regidos por regras e sanções sociais. Isso já ficou demonstrado em capítulos anteriores em relação à competição entre jornalistas que cobrem o mesmo assunto.

Saliento uma vez mais o fato de determinadas carreiras significarem bem mais do que uma atividade ou emprego na vida de seus profissionais, gerando um envolvimento que resultará num *estilo de vida* e numa *visão de mundo* específicos. Essas ocupações têm exigido de seus membros um sentimento de *adesão* (*commitment*), que será a base para o estabelecimento de uma dimensão da carreira na vida desses profissionais. Tal adesão surge como expressão de suas individualidades, da mesma forma que seus *selves* se percebem expressos por ela, em uma relação de complementaridade.

O universo que investiguei enfatiza e destaca na vida dos jornalistas sua identidade profissional – ser *jornalista* –, qualificando-a e dando à carreira um papel que extrapola os limites de seu exercício.

* * *

Agora que chego ao fim deste trabalho, penso sobre seu início e me lembro de um texto de Robert Park, em que o pensador americano afirma, sem negar o seu passado de jornalista, que o sociólogo sempre foi a seu ver uma espécie de "superrepórter", como aqueles que escreviam para a *Fortune*. Para ele, o trabalho do sociólogo que estuda as grandes cidades é necessário, nem que seja para nos fazer compreender o que lemos no jornal.

As palavras de Park me ajudam a entender como e por que decidi estudar os jornalistas, logo eu, uma jornalista. No começo, quando decidi que meu objeto de pesquisa seriam esses profissionais, fiquei amedrontada. Afinal, eu era uma jornalista, ainda trabalhava como tal e estava certa de que minhas dificuldades seriam enormes. O esforço de isenção e distanciamento naquele momento me parecia insuperável. Na ocasião, eu trabalhava em uma assessoria de imprensa, tendo antes trabalhado apenas esporadicamente em TV e rádio; nunca em jornal diário.

Gostaria de salientar também as semelhanças e as diferenças entre as profissões de jornalista e a de antropóloga. Ambas utilizam entrevistas como instrumento de trabalho, chamam seus entrevistados de informantes; e o repórter, assim como o antropólogo, vai a campo realizar seu trabalho. Mas se por um lado há pontos de contato, por outro enormes distinções as separam. O jornalismo está basicamente interessado em apresentar assuntos ou fatos, enquanto a antropologia preocupa-se em analisá-los mais crítica e profundamente, utilizando-se para isso de um vasto arsenal teórico. O repórter, na maioria das vezes, só conta consigo mesmo e com o departamento de pesquisa.

Estimulada pelo professor Gilberto Velho e decidida a encarar o desafio, mergulhei fundo em um universo que conhecia pela prática e pela convivência, mas que mais tarde se tornou estranho e desconhecido para mim. Passei a encará-lo como exótico, sendo que as condutas mais familiares se mostraram muitas vezes incompreensíveis.

Foi sem dúvida um trabalho enriquecedor para mim em muitos aspectos. À medida que eu me afastava de minha própria profissão, começava a encará-la com mais clareza e profundidade.

Segui, então, uma trajetória particular e emocionante. Quanto mais me aproximava do jornalismo para redescobri-lo com novos olhos – os de antropóloga –, mais eu me afastava dele.

Hoje percebo que essa escolha de objeto de investigação não foi feita ao acaso. Revelou-se o meu próprio *rito de passagem* de uma profissão a outra, podendo com isso viver o melhor desses dois *mundos* simultaneamente.

Decidi terminar com esse aparte por achar que minha experiência como jornalista não poderia nem deveria ser descartada. Ela precisava ser bem empregada. Se foi ou não, cabe ao leitor julgar.

BIBLIOGRAFIA

Para discutir o papel e o poder da imprensa

ABREU, Alzira et al. *A imprensa em transição*. Rio de Janeiro: Editora da FGV, 1996.

LATTMAN-WELMAN, F; DIAS CARNEIRO, J. A.; RAMOS, P. de A. *A imprensa faz e desfaz um presidente*. Rio de Janeiro: Nova Fronteira, 1994.

PAILLET, Marc. *Jornalismo, o quarto poder*. São Paulo: Brasiliense, 1986.

PARK, Robert. *On social control and collective behavior*. Chicago: The University of Chicago Press, 1967.

_____. *L'école de Chicago*. Paris: Éditions Aubier, 1990.

Para entender o jornalismo e sua prática

ABRAMO, Claudio. *A regra do jogo: o jornalismo e a ética do marceneiro*. São Paulo: Companhia das Letras, 1989.

BARBEIRO, Heródoto. *Fora do ar*. Rio de Janeiro: Ediouro, 2007.

BERNSTEIN, Carl; WOODWARD, Bob. *Todos os homens do presidente*. Rio de Janeiro: Francisco Alves, 1978.

CAPOTE, Truman. *A sangue frio*. São Paulo: Companhia das Letras, 2003.

DARNTON, Robert. *O beijo de Lamourette: mídia, cultura e revolução*. São Paulo: Companhia das Letras, 1990.

HERSEY, John. *Hiroshima*. São Paulo: Companhia das Letras, 2002.

KOTSCHO, Ricardo. *A prática da reportagem*. São Paulo: Ática, 1986.

NASSAR, Silvio Julio. *Doenças profissionais em comunicação social*. Rio de Janeiro, 1990. (mimeo).

TALESE, Gaye, *Fama & anonimato*. São Paulo: Companhia das Letras, 2004.

TRAQUINA, Nelson (org.). *Jornalismo: questões, teorias e "estórias"*. Lisboa: Veja, 1999.

WAINER, SAMUEL. *Minha razão de viver*. Rio de Janeiro: Record, 1987.

Para entender a sociedade de uma perspectiva sociológica e/ou antropológica

DA MATTA, Roberto. *A casa e a rua*. Rio de Janeiro: Guanabara, 1987.

HERTZ, Robert. *Death and the right hand*. Aberdeen: Cohen & West, 1960.

SAHLINS, Marshall. "La pensée bourgeoise". In: *Cultura e razão prática*. Rio de Janeiro: Jorge Zahar, 1979.

VELHO, Gilberto; CASTRO, Eduardo B. Viveiros de. "O conceito de cultura e o estudo de sociedades complexas." In: *Espaço: Cadernos de Cultura*, USU, Rio de Janeiro, v. 2, n. 2, 1980, p. 11-26.

Para discutir o conceito de notícia

FERREIRA, Aurélio Buarque de Holanda. *Novo dicionário Aurélio*. Rio de Janeiro: Nova Fronteira, 1980.

LAGE, Nilson. *A reportagem: teoria e técnica de entrevista e pesquisa jornalística*. Rio de Janeiro: Record, 2006.

_____. *Ideologia e técnica da notícia*. Petrópolis: Vozes, 1982.

LUSTOSA, Elcias. *O texto da notícia*. Brasília: Editora da UnB, 1996.

PONTE, Cristina. *Leituras das notícias*. Lisboa: Livros Horizonte, 2004.

Para saber mais sobre a história da imprensa

ABREU, Alzira; LATTMAN-WELTMAN, F. ROCHA, Dora (orgs.). *Eles mudaram a imprensa*. Rio de Janeiro: Editora da FGV, 2003.

BURKE, Peter; BRIGGS, Asa. *Uma história social da mídia*. Rio de Janeiro: Zahar, 2004.

COSTA, Cristiane. *Pena de aluguel. Escritores jornalistas no Brasil 1904-2004*. Rio de Janeiro: Companhia das Letras, 2005.

LUSTOSA, Isabel. *Insultos impressos*. São Paulo: Companhia das Letras, 2000.

MIRA, Maria Celeste. *O leitor e a banca de revistas*. São Paulo: Olho d'água/Fapesp, 2001.

RIBEIRO, Ana Paula. *Imprensa e história no Rio de Janeiro dos anos 50*. Rio de Janeiro: E-papers, 2007.

ROUCHOU, Joëlle. *Samuel – Duas vozes de Wainer*. Rio de Janeiro: UniverCidade, 2004.

TRAVANCAS, Isabel. *O livro no jornal*. São Paulo: Ateliê, 2001.

Para avaliar a influência dos meios de comunicação de massa

BOURDIEU, Pierre. *Sobre a televisão*. Rio de Janeiro: Zahar, 1997.

DARNTON, Robert. *O beijo de Lamourette: mídia, cultura e revolução*. São Paulo: Companhia das Letras, 1990.

DEBORD, G. *A sociedade do espetáculo*. Rio de Janeiro: Contraponto, 1997.

DINES, Alberto. *O papel do jornal e a profissão de jornalista*. São Paulo: Summus, 2010.

MENDONÇA, Kleber. *A punição pela audiência*. Rio de Janeiro: Quartet/Faperj, 2002.

PRADO, Rosane Manhães. *Mulher de novela e mulher de verdade: estudos sobre cidade pequena, mulher e telenovela*. 1987. Dissertação (Mestrado em Comunicação) – Universidade Federal do Rio de Janeiro, Rio de Janeiro (RJ).

TRAVANCAS, Isabel. *Juventude e televisão*. Rio de Janeiro: Editora da FGV, 2007.

VIANNA, Hermano. *O mundo funk carioca*. Rio de Janeiro: Jorge Zahar, 1988.

Para abordar a questão do tempo e do trabalho

LEACH, Edmund. "O tempo e os narizes falsos". In: *Repensando a antropologia*. São Paulo: Perspectiva, 1974.

MORETZSOHN, Sylvia. *Jornalismo em "tempo real"*. Rio de Janeiro: Revan, 2002.

RODRIGUES, José Carlos. *Antropologia e comunicação: princípios radicais*. Rio de Janeiro: Espaço e Tempo, 1989.

SCHUTZ, Alfred. *Fenomenologia e relações sociais*. Rio de Janeiro: Jorge Zahar, 1979.

_____. *Le chercheur et le quotidien*. Paris: Méridiens Klincksiek, 1987.

SIMMEL, Georg. "A metrópole e a vida mental". In: VELHO, O. (org.). *O fenômeno urbano*. Rio de Janeiro: Jorge Zahar, 1979.

THOMPSON, Edward Palmes. *A formação da classe operária inglesa*. Rio de Janeiro: Paz e Terra, 1987. v. 2 e 3.

Para compreender os conceitos de anonimato e blasé

BENJAMIN, Walter. "A paris do Segundo Império em Baudelaire". In: KOTHE, Flávio (org.). *Walter Benjamin*. São Paulo: Ática, 1985.

PARK, Robert. *On social control and collective behavior*. Chicago: The University of Chicago Press, 1967.

_____. *L'école de Chicago*. Paris: Éditions Aubier, 1990.

SIMMEL, Georg. "A metrópole e a vida mental". In: VELHO, O. (org.). *O fenômeno urbano*. Rio de Janeiro: Jorge Zahar, 1979.

Para abordar relações sociais e relações entre jornalistas

DARNTON, Robert. *O beijo de Lamourette: mídia, cultura e revolução*. São Paulo: Companhia das Letras, 1990.

EPSTEIN, A. L. "The network and urban social organization". In: MITCHELL, J. C. *Social networks in urban situations*. Zâmbia:

Institute for Social Research University of Zâmbia; Manchester: Manchester University Press, 1969.

SENNEIT, Richard. *O declínio do homem público: as tiranias da intimidade*. São Paulo: Companhia das Letras, 1988.

Para aprofundar-se na relação com a profissão

BECKER, Howard. *Sociological work, method and substance*. New Brunswick: Transaction Books, 1977.

DINES, Alberto. *O papel do jornal e a profissão de jornalista*. São Paulo: Summus, 2010.

HUGHES, Everett. *The sociological eye*. Chicago: Aldine Atherton, 1971.

NOBLAT, Ricardo. *O que é ser jornalista*. Rio de Janeiro: Record, 2004.

Para discutir o acaso e o projeto de vida

PEIRANO, Mariza G. S. *Artimanhas do acaso*. Brasília: Editora da UnB, 1990. (Série Antropologia, 93.)

VELHO, Gilberto. *Individualismo e cultura*. Rio de Janeiro: Jorge Zahar, 1987.

Para levantar a questão da ética

ABRAMO, Claudio. *A regra do jogo: o jornalismo e a ética do marceneiro*. São Paulo: Companhia das Letras, 1989.

BUCCI, Eugenio. *Sobre ética e imprensa*. São Paulo: Companhia das Letras, 2000.

FINKEL, Michael. *A história verdadeira*. São Paulo: Planeta, 2005.

JAPIASSU, Hilton; MARCONDES, Danilo. *Dicionário básico de filosofia*. Rio de Janeiro: Jorge Zahar, 1990.

MALCOLM, Janec. *O jornalista e o assassino: uma questão de ética*. São Paulo, Companhia das Letras, 1990.

MOREIRA, Sonia Virgínia; BRAGANÇA, Aníbal (orgs.). *Mídia, ética e sociedade*. Belo Horizonte: PUC-Minas/Intercom, 2004.

WEBER, Max. *Ciência e política: duas vocações*. São Paulo, Cultrix, 1986.

Para debater as definições de classe social, camadas e segmentos

BOURDIEU, Pierre. "Condition de classe et position de classe". In: Cornu, Roger; LAGNEAU, Janine (orgs.). *Hiérarchies et classes sociales*. Paris: Armand Colin, 1969.

GASPAR, Maria Dulce. *Garotas de programa* Rio de Janeiro: Jorge Zahar, 1988.

MILLS, C. Wright. *Poder e política*. Rio de Janeiro: Jorge Zahar, 1965.

SALEM, Tania. "Família em camadas médias: uma revisão da literatura recente". *Boletim do Museu Nacional*, Rio de Janeiro, v. 54, 1985, p. 1-29.

STAVENHAGEN, Rodolfo. "Estratificação social e estrutura de classes". In: VELHO, Otávio; PALMEIRA, Moacir (orgs.). *Estrutura de classes e estratificação social*. Rio de Janeiro: Jorge Zahar, 1979.

VELHO, Gilberto. *Individualismo e cultura*. Rio de Janeiro: Jorge Zahar, 1987.

WEBER, Max. *Ciência e política: duas vocações*. São Paulo: Cultrix, 1986.

Para estudar papéis sociais e fronteiras

DOUGLAS, Mary. *Pureza e perigo*. São Paulo: Perspectiva, 1976.

GOFFMAN, Erving. *A representação do eu na vida cotidiana*. Petrópolis: Vozes, 1975.

_____. "A elaboração da face". In: FIGUEIRA, Sérvulo A. (org.). *Psicanálise e ciências sociais*. Rio de Janeiro: Francisco Alves, 1980.

VELHO, Gilberto. *Nobres e anjos: um estudo de tóxicos e hierarquia*. Tese (doutorado em Antropologia), Universidade de São Paulo, São Paulo (SP), 1975.

_____. *Individualismo e cultura*. Rio de Janeiro: Jorge Zahar, 1987.

_____. *Subjetividade e sociedade: uma experiência de geração*. Rio de Janeiro: Jorge Zahar, 1986.

Para discutir a noção de poder

BALANDIER, Georges. *O poder em cena*. Brasília: Editora da UnB, 1980.

WEBER, Max. *Ciência e política: duas vocações*. São Paulo: Cultrix, 1986.

Para abordar individualismo, narcisismo e sociabilidade

DUMONT, Louis. *O individualismo*. Rio de Janeiro: Rocco, 1985.

LASCH, Christopher. *A cultura do narcisismo: a vida americana numa era de esperanças em declínio*. Rio de Janeiro: Imago, 1983.

SENNETT, Richard. *O declínio do homem público: as tiranias da intimidade*. São Paulo: Companhia das Letras, 1988.

SIMMEL, Georg. *On individuality and social forms*. Chicago: The University of Chicago Press, 1971.

_____. *Georg Simmel: sociologia*. São Paulo: Ática, 1983. (Grandes Cientistas Sociais, 34.)

_____. "A metrópole e a vida mental". In: VELHO, O. (org.) *O fenômeno urbano*. Rio de Janeiro: Jorge Zahar, 1979.

VELHO, Gilberto. *Nobres e anjos: um estudo de tóxicos e hierarquia*. 1975. Tese (Doutorado em Antropologia) – Universidade de São Paulo, São Paulo (SP).

_____. *Individualismo e cultura*. Rio de Janeiro: Jorge Zahar, 1987.

_____. *Subjetividade e sociedade: uma experiência de geração*. Rio de Janeiro: Jorge Zahar, 1986.

Para entender as relações entre antropologia e comunicação

ALMEIDA, Heloisa Buarque de. *Telenovela, consumo e gênero*. São Paulo: Edusc/Anpocs, 2003.

CANCLINI, Nestor. *Consumidores e cidadãos*. Rio de Janeiro: EdUFRJ, 2001.

HAMBURGUER, Esther. *O Brasil antenado*. Rio de Janeiro: Zahar, 2005.

MARTIN-BARBERO, Jesús. *Dos meios às mediações*. Rio de Janeiro: EdUFRJ, 2001.

TRAVANCAS, Isabel; FARIAS, Patrícia (orgs.). *Antropologia e comunicação*. Rio de Janeiro: Garamond, 2003.

Para saber mais sobre pesquisas em comunicação

BARBOSA, Gustavo; RABAÇA, Carlos Alberto. *Dicionário de comunicação*. 2. ed. rev. atual. Rio de Janeiro: Campus, 2001.

DUARTE, Jorge; BARROS, Antonio (orgs.). *Métodos e técnicas de pesquisa em comunicação*. São Paulo: Atlas, 2005.

LOPES, M. I. V. *Pesquisa em comunicação*. São Paulo: Loyola, 2003.

SILVERSTONE, Roger. *Por que estudar a mídia?* São Paulo: Loyola, 2002.

------- dobre aqui -------

**Carta-
-resposta**
9912200760/DR/SPM
Summus Editorial Ltda.
CORREIOS

CARTA-RESPOSTA
NÃO É NECESSÁRIO SELAR

O SELO SERÁ PAGO POR

**summus
editorial**

AC AVENIDA DUQUE DE CAXIAS
01214-999 São Paulo/SP

------- dobre aqui -------

summus editorial

CADASTRO PARA MALA DIRETA

Recorte ou reproduza esta ficha de cadastro, envie completamente preenchida por correio ou fax, e receba informações atualizadas sobre nossos livros.

Nome: _____ Empresa: _____
Endereço: ☐ Res. ☐ Coml. _____ Bairro: _____
CEP: _____-_____ Cidade: _____ Estado: _____ Tel.: ( ) _____
Fax: ( ) _____ E-mail: _____ Data de nascimento: _____
Profissão: _____ Professor? ☐ Sim ☐ Não Disciplina: _____

1. Você compra livros:
☐ Livrarias ☐ Feiras
☐ Telefone ☐ Correios
☐ Internet ☐ Outros. Especificar: _____

2. Onde você comprou este livro? _____

3. Você busca informações para adquirir livros:
☐ Jornais ☐ Amigos
☐ Revistas ☐ Internet
☐ Professores ☐ Outros. Especificar: _____

4. Áreas de interesse:
☐ Educação ☐ Administração, RH
☐ Psicologia ☐ Comunicação
☐ Corpo, Movimento, Saúde ☐ Literatura, Poesia, Ensaios
☐ Comportamento ☐ Viagens, Hobby, Lazer
☐ PNL ☐ Cinema

5. Nestas áreas, alguma sugestão para novos títulos? _____

6. Gostaria de receber o catálogo da editora? ☐ Sim ☐ Não
7. Gostaria de receber Informativo Summus? ☐ Sim ☐ Não

Indique um amigo que gostaria de receber a nossa mala direta

Nome: _____ Empresa: _____
Endereço: ☐ Res. ☐ Coml. _____ Bairro: _____
CEP: _____-_____ Cidade: _____ Estado: _____ Tel.: ( ) _____
Fax: ( ) _____ E-mail: _____ Data de nascimento: _____
Profissão: _____ Professor? ☐ Sim ☐ Não Disciplina: _____

Summus Editorial
Rua Itapicuru, 613 7º andar 05006-000 São Paulo - SP Brasil Tel.: (11) 3872-3322 Fax: (11) 3872-7476
Internet: http://www.summus.com.br e-mail: summus@summus.com.br

cole aqui